ANNE FRANK IN THE WORLD

DE WERELD VAN **ANNE FRANK**

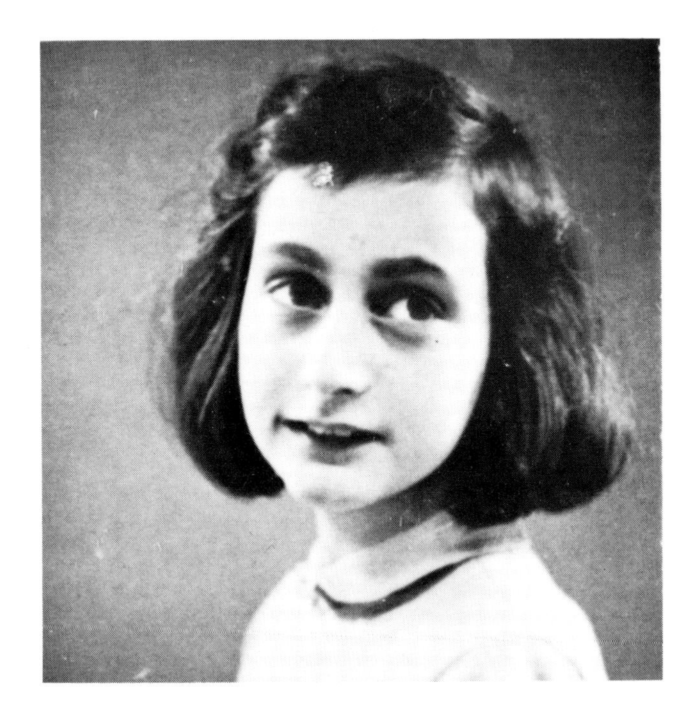

ANNE FRANK STICHTING

UITGEVERIJ BERT BAKKER AMSTERDAM

ANNE FRANK IN THE WORLD

1929 1945

DE WERELD VAN ANNE FRANK

ISBN 90 351 0263 0

first edition June 1985
second edition December 1985

ISBN 90 351 0263 0

eerste druk juni 1985
tweede druk december 1985

PREFACE

Had Anne Frank, a typical child, lived next door, could she have counted on us for help during the Nazi regime?
Would we have recognized the dangers of fascism, or would we have believed the propaganda that depicted Jews as inferior, untrustworthy citizens? Would we have agreed with those who singled out the Jews as the cause of all evil – just as some people today feel free to blame 'the foreigners' for all their ills?
Or would we have continued – perhaps with a feeling of powerlessness – our daily routine?
Many Germans did, in fact, continue their daily routine. They were not alone. The Dutch and other people, as well, acted in the same way without even being aware of their action, or – as it turns out – their lack of action. This indifference, this resignation, this fear, this selfishness – all of these are widespread human characteristics. Therefore, the chances are today, too, people all over the world are left to meet their fate, just like the Frank family.
Even the help of some individuals could not prevent the deportation and extermination of Anne Frank and millions of others.
The Anne Frank Foundation wants to stress in this book that the rejection and prevention of discrimination must start at an early stage and that each of us has a personal responsibility toward achieving this goal. Had these convictions shaped the human consciousness in the 1930s, then the name Hitler would be totally insignificant to us today.

Anne Frank Foundation.

VOORWOORD

Er zijn vragen die ons niet loslaten. Had Anne Frank – tijdens haar leven een gewoon, onbekend kind – op onze steun kunnen rekenen als ze in de nazi-periode ons buurmeisje was geweest?
Zouden wij – om te beginnen – wel de gevaren van het fascisme hebben onderkend, of hadden wij misschien toch iets van de propaganda geloofd die joden als minderwaardige, onbetrouwbare wezens voorstelde?
Hadden wij wellicht ingestemd met diegenen die 'de joden' als de veroorzakers van alle problemen aanwezen – net zoals sommigen nu menen 'de buitenlanders' de schuld te mogen geven van alles wat hen dwars zit? Zouden wij de moed gehad hebben daar tegen in te gaan, of zouden we, met misschien een gevoel van machteloosheid, 'gewoon' verder hebben geleefd?
Veel Duitsers deden dat laatste, maar zij niet alleen; ook Nederlanders en andere volken. Onverschilligheid, berusting, angst en egoïsme zijn wijdverspreide menselijke eigenschappen. Overal ter wereld kunnen daarom mensen als de familie Frank in de steek worden gelaten.
Ondanks de hulp van enkelen zijn Anne en miljoenen anderen weggevoerd en tenslotte vernietigd.
De Anne Frank Stichting wil er in dit boek indringend op wijzen, dat afwijzing en voorkoming van discriminatie in een vroeg stadium moet beginnen. Ieder mens draagt daarin een persoonlijke verantwoordelijkheid. Als dat besef in 1930 de houding van mensen had bepaald, dan had de naam Hitler niemand nu iets gezegd.

Anne Frank Stichting

TABLE OF CONTENTS

INHOUDSOPGAVE

THE FRANK FAMILY 1 *FRANKFURT*

Ancestors of Anne Frank have lived in Frankfurt since the 17th century. Otto Frank, Anne's father, is born on May 12, 1889, on Frankfurt's *Westend* (West side), a well-to-do neighborhood. His father is a banker. Otto Frank attends high school, and briefly studies art at the University of Heidelberg. Via a friend he is offered and accepts a job from 1908 until 1909 at Macy's Department Store in New York. When his father dies, Otto Frank returns to Germany and works for a metal engineering company in Düsseldorf until 1914. During World War I he and his two brothers serve in the German Army, where Otto attains the rank of lieutenant. After the war he works in his father's bank, but banks are not faring well at that time. While at the bank he becomes acquainted with Edith Holländer, the daughter of a manufacturer. Born in 1900, she grows up in Aachen. Otto and Edith marry in 1925 and settle in Frankfurt. They have two daughters, Margot, born in 1926, and Anne, whose full name is Annelies Marie, born on June 12, 1929.

DE FAMILIE FRANK 1 *FRANKFURT*

De voorouders van Anne Frank wonen al sinds de 17e eeuw in Frankfurt. Otto Frank, Anne's vader, wordt op 12 mei 1889 in Frankfurt geboren als zoon van een bankier in een rijke buurt, Westend. Hij gaat naar het gymnasium en studeert daana korte tijd kunst in Heidelberg. Van een vriend krijgt hij het aanbod om in Amerika bij het Macy-concern (een bekend warenhuis) stage te lopen (1908/1909). Hij keert terug naar Duitsland als zijn vader sterft en werkt dan tot 1914 in een metaalconstructiebedrijf in Düsseldorf. Tijdens de Eerste Wereldoorlog dient hij als luitenant bij de verbindingsdiensten in het Duitse leger, samen met zijn twee broers. Daarna werkt hij een tijd op de bank van zijn vader, maar het zijn slechte tijden voor het bankwezen in Duitsland. In deze jaren leert hij Edith Holländer kennen. Zij is geboren in 1900, groeit op in Aken en is dochter van een fabrikant. In 1925 trouwen Edith en Otto en zij vestigen zich in Frankfurt. Ze krijgen twee dochters: Margot wordt in 1926 geboren, en op 12 juni 1929 volgt Anne, die eigenlijk Annelies Marie heet.

1

2

1 Family portrait, circa 1900. Front row, Otto Frank in navy suit.
2 Otto Frank (right) during World War I, 1916.
3 Edith Höllander.
4 Edith Holländer and Otto Frank during their honeymoon in San Remo, 1925.

1 Familieportret omstreeks 1900. Op de eerste rij met matrozenpak Otto Frank.
2 Otto Frank (rechts) tijdens de 1e Wereldoorlog (1916).
3 Edith Holländer.
4 Edith Holländer en Otto Frank op huwelijksreis in San Remo, 1925.

3

4

2 FRANKFURT AM MAIN IN THE 1920s – PORTRAIT OF A CITY

Since the Middle Ages Frankfurt has been an important center of trade and finance. At the end of the 19th century new industrial areas spring up on the east and west side of the city. After annexing surrounding villages, Frankfurt has the largest land area of all German cities at the end of World War I. In 1929 the city has a population of 540,000. Tradition and modernization go hand in hand, and as a result, Frankfurt is an attractive, modern city economically, socially and culturally. The intellectual and political climate is democratic and liberal. The city is governed by a coalition of the social democratic, liberal and christian parties.

2 FRANKFURT AM MAIN IN DE TWINTIGER JAREN – BEELD VAN EEN STAD

Sinds de middeleeuwen is Frankfurt een belangrijke beursstad en een financieel centrum. Aan het einde van de 19e eeuw ontstaan in het westen en oosten van de stad grote industriegebieden. Na de Eerste Wereldoorlog is Frankfurt door annexaties qua oppervlakte de grootste Duitse stad. In 1929 heeft Frankfurt 540.000 inwoners. Traditie en vernieuwing gaan hand in hand en leiden tot een aantrekkelijke moderne stad, zowel in economisch, sociaal als cultureel opzicht. Het geestelijke en politieke klimaat is demokratisch en progressief. Een coalitie van sociaal-democraten, liberalen en confessionelen vormt het stadsbestuur.

6

5 *Panoramic view of Frankfurt am Main. At left, the Dome, where the German kings and emperors were crowned until 1806.*
6 *St. Paul's Church, site of the first German Parliamentary Assembly in 1848. At right, the monument of Friedrich Ebert, first president of the Weimar Republic.*
7 *The new living quarters offer modern schools, playgrounds and various facilities.*

5 *Gezicht op Frankfurt am Main, met links de Dom, waar tot 1806 de Duitse koningen en keizers gekroond worden.*
6 *De Pauluskerk, vergaderplaats van het eerste Duitse parlement, 1848. Rechts het monument voor Friedrich Ebert, de eerste president van de Weimar-Republiek.*
7 *In de nieuwe wijken legt men moderne schoolgebouwen, sociale voorzieningen en kinderspeelplaatsen aan. Rond 1930.*

7

5

3 FRANKFURT, 1929 – POLITICAL AND ECONOMIC CRISIS

The Great Depression of 1929 also causes social and political tension in Frankfurt. Between 1929 and 1932 industrial activity decreases 65%. By the end of 1932, more than 70,000 people are unemployed in Frankfurt. One-fourth of the population – workers and civil servants, in particular – no longer has a steady income. Furthermore, the National Socialists profit from the inability of the democratic system to solve the crisis. The labor movement carries the weight in the political struggle against the threat from the extreme right.

3 FRANKFURT 1929: POLITIEKE EN ECONOMISCHE CRISIS

De grote crisis die in 1929 uitbreekt, verscherpt ook in Frankfurt de sociale en politieke tegenstellingen. Tussen 1929 en 1932 daalt de industriële produktie met 65%. Aan het einde van 1932 telt Frankfurt meer dan 70.000 werklozen. Een kwart van de bevolking, met name arbeiders en ambtenaren, heeft geen vast inkomen meer.
Ook in Frankfurt profiteren de nationaal-socialisten van het onvermogen van de demokratie deze crisis de baas te worden. De arbeidersbeweging organiseert de politieke strijd tegen de dreiging van extreem-rechts.

8

8 *In Frankfurt the National Socialists started their organization in the 1920s. The Stahlhelm Day of 1925 is organized by an anti-democratic union comprising former soldiers who fought in World War I.*
9 *Around 1930 many inhabitants of Frankfurt suffer from poverty. A soup kitchen for the umemployed in the Friedrich Ebert quarter.*
10 *Anti-Nazi demonstration in Frankfurt organized by the Eiserne Front, an association of several left-wing organizations.*

8 *Ook in Frankfurt organiseren de nationaal-socialisten zich al vroeg. Stahlhelmdag in 1925, georganiseerd door de antidemokratische vereniging van frontsoldaten uit de Eerste Wereldoorlog.*
9 *Rond 1930 lijden veel inwoners van Frankfurt armoede. De gaarkeuken in de Friedrich Ebert-buurt waar werklozen eten kunnen halen (1932).*
10 *Anti-nazi-demonstratie van het Eiserne Front in Frankfurt op de Opernplatz, 1932. Het Eiserne Front is een samenwerkingsverband van linkse organisaties.*

9

10

4 THE JEWISH COMMUNITY OF FRANKFURT

In 1929 the number of Jews living in Frankfurt is about 30,000, or roughly 5.5% of the population. It is the second largest Jewish community in Germany (Berlin is first) and dates back to the Middle Ages. At the beginning of the 19th century Jews are no longer required to live in the ghetto, and the law declares them equal. Their new legal status marks the beginning of a process of social and cultural assimilation. Jewish philanthropic organizations play an important role in the development of the city. Although anti-Semitism never fully disappears, Frankfurt is – for the most part – a tolerant city. Jewish citizens are able to maintain their traditional way of life or assimilate into society at large.

4 DE JOODSE GEMEENSCHAP IN FRANKFURT AM MAIN

In 1929 wonen in Frankfurt ongeveer 30.000 joden, $5\frac{1}{2}\%$ van de bevolking. Na Berlijn is de joodse gemeenschap van Frankfurt de grootste in Duitsland. Al sinds de middeleeuwen wonen er veel joden. Pas in het begin van de 19e eeuw wordt voor joden de verplichting opgeheven om in het ghetto te wonen, en krijgen zij dezelfde gelijke rechten als niet-joden. Dit is het begin van een proces van sociale en culturele assimilatie. Joodse stichtingen op allerlei gebied dragen bij aan de ontwikkeling van de stad. Hoewel het anti-semitisme nooit verdwijnt, overheerst in Frankfurt de tolerantie; zowel ten opzichte van de traditioneel levende joden als tegenover hen die zich assimileren.

11

12

11 In 1882 a synagogue was built on Börneplatz next to a huge open-air market, 1927.
12 The Judengasse (Jews Street) in Frankfurt. When the Jews lived in the ghetto the street was closed every evening, and gentiles were not allowed to enter. Circa, 1872.
13 The Kölnerhof Hotel near the Frankfurt Railway Station makes it clear that Jews are unwanted guests, 1905.

11 Joods leven in Frankfurt. De in 1882 gebouwde grote synagoge op de Börneplatz, waarnaast een grote markt wordt gehouden. 1927.
12 De 'Judengasse' ('Jodenstraat') in Frankfurt rond 1872. In de tijd van het ghetto werd deze straat elke avond met hekken afgesloten en mochten er geen niet-joden komen.
13 In Hotel Kölnerhof bij het station in Frankfurt is de toegang voor joden in 1905 'niet gewenst'.

13

THE FRANK FAMILY
FRANKFURT, 1929-1933

DE FAMILIE FRANK
Frankfurt, 1929–1933

Otto Frank is an enthusiastic amateurphotographer. He takes dozens of photographs of Anne and Margot playing in the street with their friends, visiting their grandparents in Aachen, or going to the countryside.

Otto Frank is een enthousiast amateurfotograaf. Hij heeft veel foto's van Anne en Margot gemaakt, bij het spelen met de buurkinderen, bij verkleedpartijtjes, bij bezoekjes aan oma en opa in Aken, en bij dagjes uit.

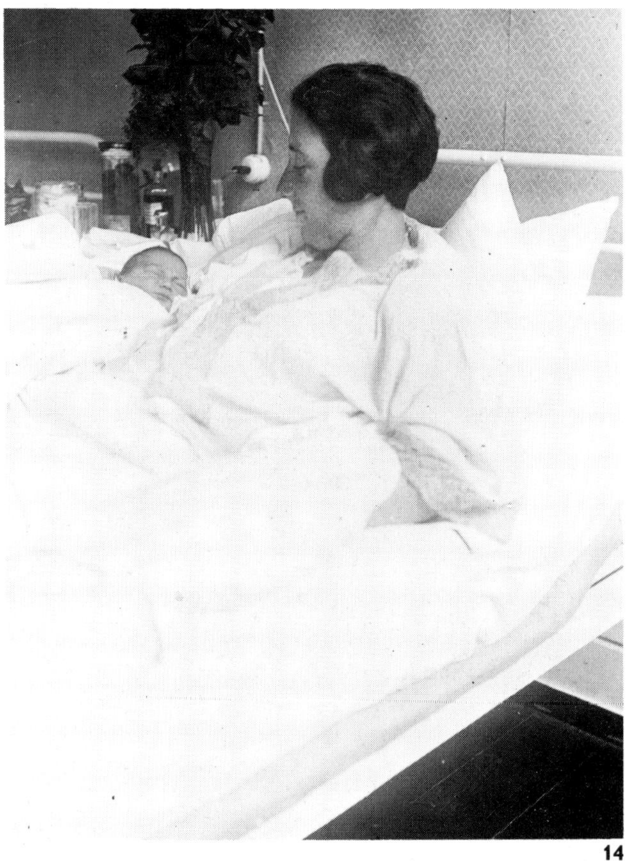

14

14 *Anne Frank, one day old, with her mother, June 13, 1929.*
15 *Margot with her new sister.*
16 *Margot and Anne.*
17 *Anne and her mother in Ganghoferstrasse.*

14 *Anne Frank, 1 dag oud, met haar moeder.*
15 *Margot met haar nieuwe zusje.*
16 *Margot en Anne.*
17 *Anne met haar moeder in de Ganghoferstrasse, 1931.*

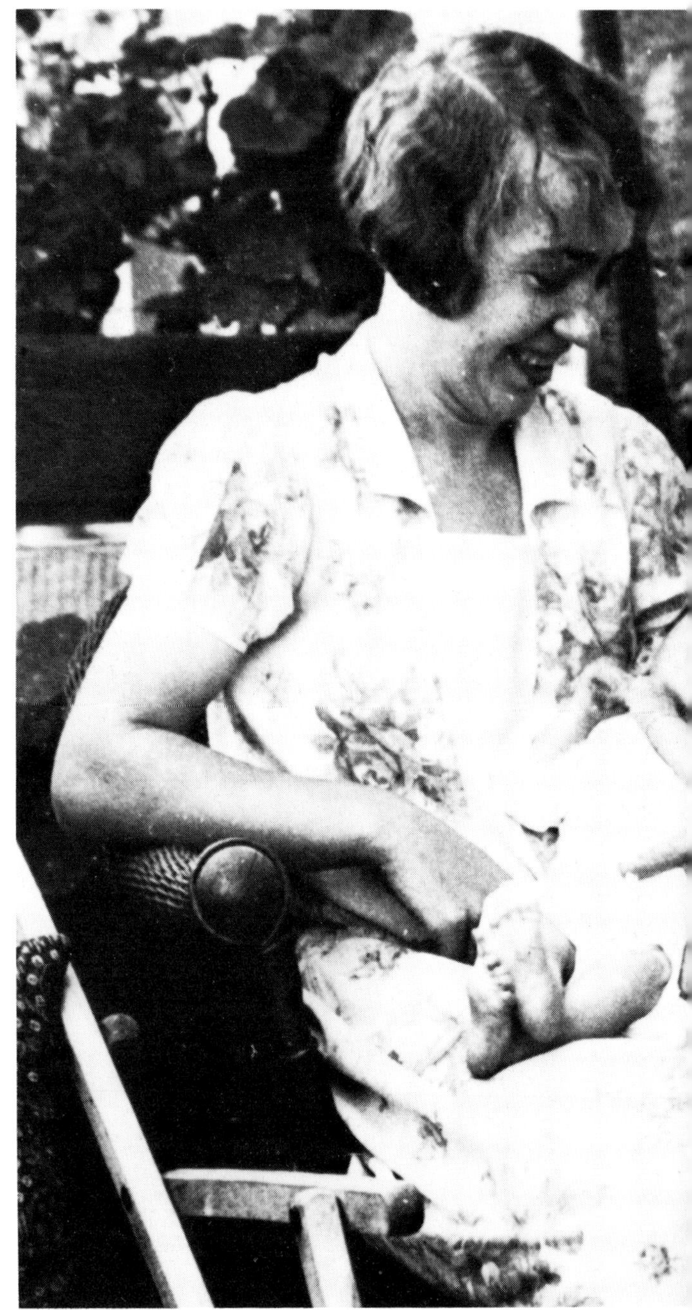

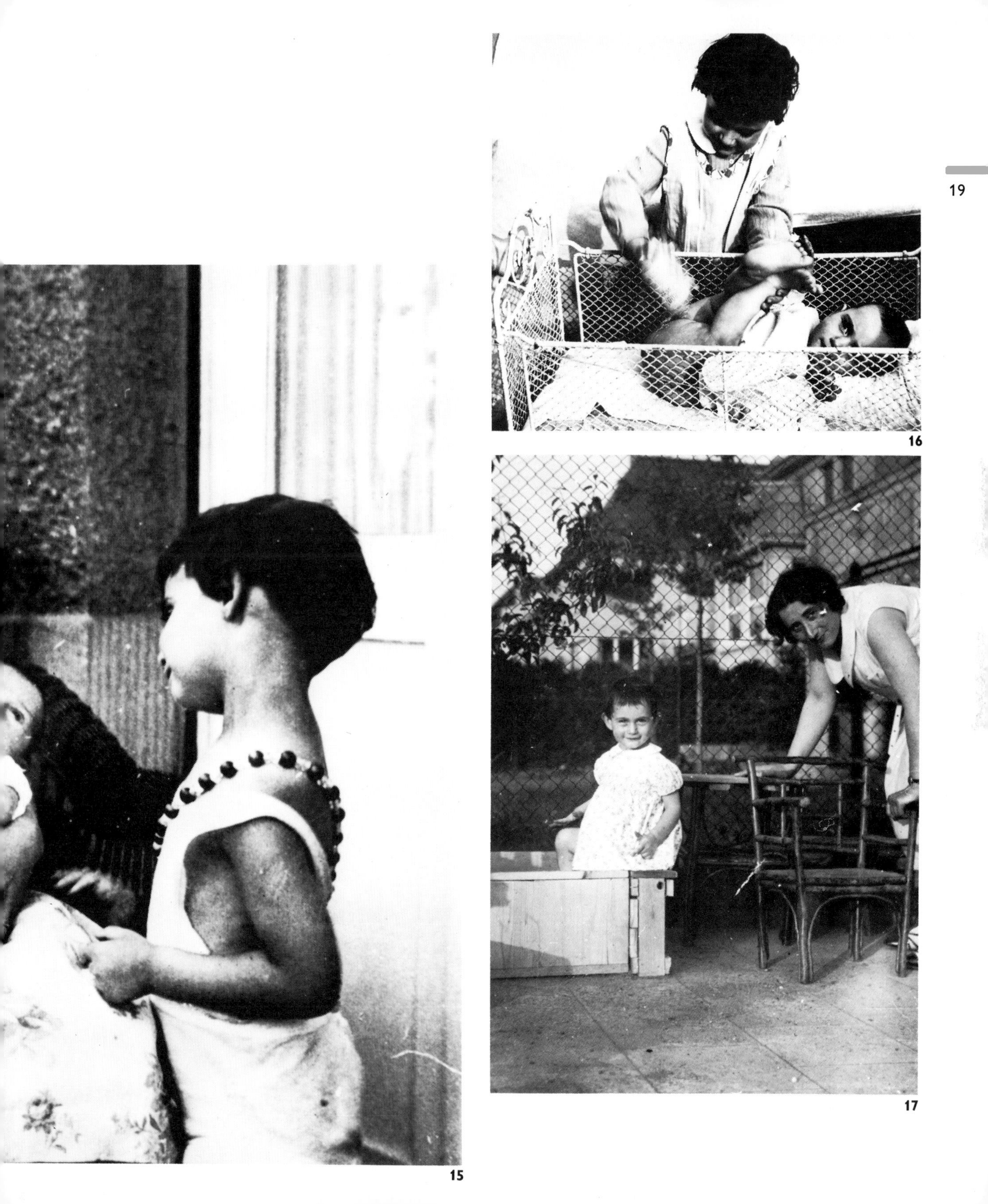

16

17

15

18 *Anne.*
19 *Otto Frank and his two daughters, 1931.*
20 *Anne and Margot.*
21 *Edith Frank with her two daughters near the Hauptwache in Frankfurt's city center.*
22 *Anne, 1932.*

18 *Anne*
19 *Otto Frank en zijn beide dochters, 1931.*
20 *Anne en Margot.*
21 *Edith Frank met haar dochters bij de Hauptwache in het centrum van Frankfurt.*
22 *Anne, 1932.*

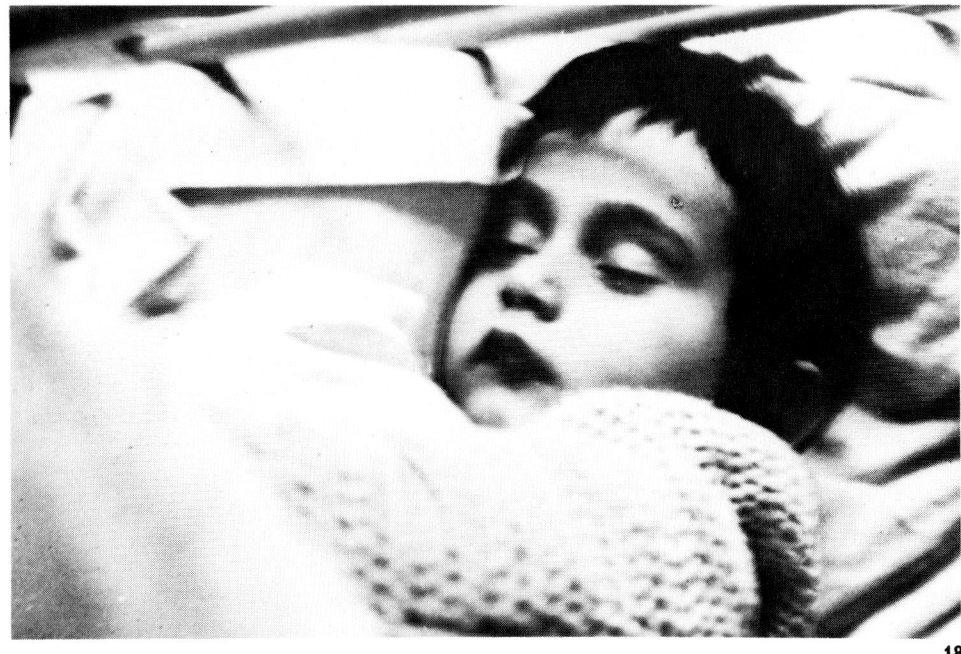

18

19

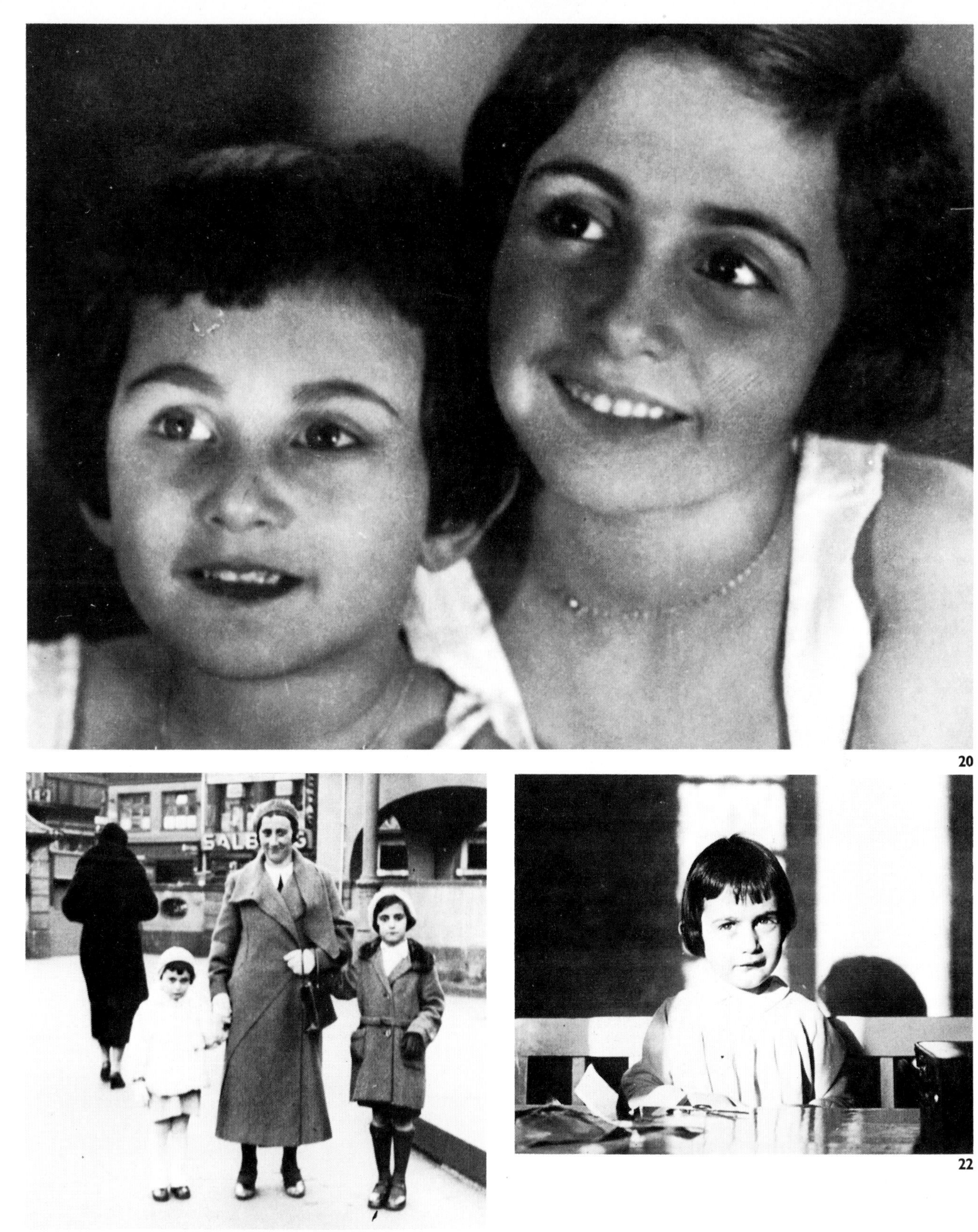

20

21

22

5,6,7 NATIONAL SOCIALISTS ON THEIR WAY TO POWER

The 1920s and early '30s in Germany are characterized by economic crisis, inflation and hurt pride about the country's defeat during World War I and the subsequent Treaty of Versailles. Workers lose their jobs; farmers, their land; civilians, their savings.
The National Socialist German Workers Party (NSDAP), founded in 1919, recruits more and more followers. Hitler blames not only what he calls the weak government for all problems in Germany but also the Jews.
Fascist movements wanted absolute power, if at all possible through 'democratic' means: in other words, as many votes as possible from the followers. The Nazis shrewdly use the apparent human need for a scapegoat. Just as some political organizations today blame specific groups for all that is wrong, Hitler blamed the Jews.
In January 1933 Hitler wins the elections and becomes the leader of a coalition government partially because the opposition is divided. On March 23, 1933, he seizes absolute power. It is essential that Hitler begins with large popular support. He is able to channel the feelings of uncertainty and discontentment into a mass political movement.
Elsewhere in Europe fascist and National Socialist movements are developing, as well.

5,6,7 DE NATIONAAL-SOCIALISTEN OP WEG NAAR DE MACHT

De jaren '20 en het begin van de jaren '30 in Duitsland worden gekenmerkt door economische crises, inflatie en gekrenkte trots over de verloren Eerste Wereldoorlog en het Verdrag van Versailles. Veel arbeiders verliezen hun werk, boeren hun land, spaarders hun geld.
De in 1919 opgerichte NSDAP krijgt steeds meer aanhangers. Hitler geeft de joden en de 'slappe' regering de schuld van de problemen in Duitsland.
Fascistische bewegingen wensen de absolute macht. Als het even kan langs 'democratische' weg, dat wil zeggen met de stemmenhulp van zoveel mogelijk aanhangers. Sluw speelde de NSDAP daarbij in op de blijkbaar menselijke behoefte aan 'zondebokken'. Zoals er vandaag partijen zijn die 'de buitenlanders' als oorzaak van alle ellende aanwijzen, bood Hitler indertijd 'de joden' aan. Hij verwerft stembuszege en verkrijgt, mede door de verdeeldheid onder linkse politici, op 30 januari 1933 de leiding van een coalitieregering. Op 23 maart 1933 grijpt hij vervolgens de absolute macht.
Essentieel is de conclusie dat Hitler met brede volkssteun begint. Hij weet gevoelens van onzekerheid en ontevredenheid om te zetten in een massale politieke beweging. Elders in Europa ontstaan soortgelijke bewegingen.

23 *Unemployed Germans. Berlin, 1932.*
24 *Adolf Hitler (right) as a soldier at the battle front during World War I.*
25 *Nazi election campaign propaganda.*

23

24

23 *Werklozen, Berlijn 1932.*
24 *Adolf Hitler (rechts) als soldaat aan het front tijdens de Eerste Wereldoorlog.*
25 *Propaganda voor de nationaal-socialisten.*

25

26

26 *NSBO, the Nazi trade union, joins in the strikes to gain support.*
27 *The SA is an attractive alternative for many who are unemployed.*
28, 29 *The right-wing political parties close ranks and become known as the Harzburger Front. Bad Harzburg, October 1931.*

26 *De nazi-vakbond NSBO doet mee met stakingen om de arbeiders voor zich te winnen.*
27 *De SA is voor veel werklozen een aantrekkelijk alternatief.*
28, 29, *Oktober 1931, Bad Harzburg: de rechtse oppositie sluit zich aaneen. (het zgn. Harzburger Front).*

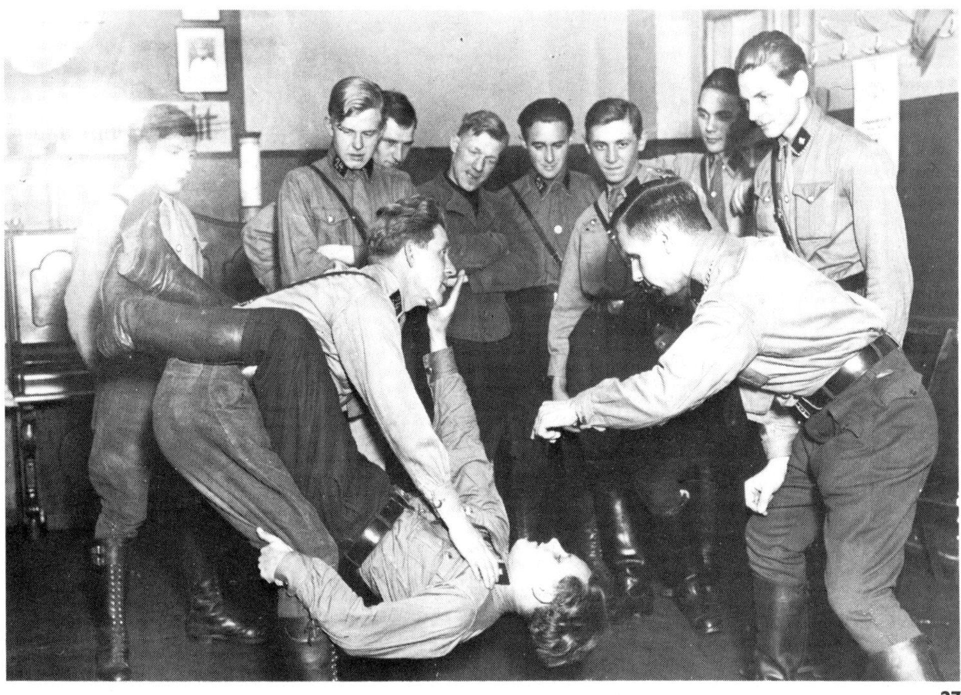

27

28

29

30

31

33

32

30, 31, 32 *Nazi posters.*
33, 35 *As of January 1933 Hitler seizes power. The Nazis celebrate.*
34 *The Jewish mayor of Frankfurt, Landmann, is replaced by a Nazi, Krebs.*
36 *The swastika flag at the town hall, Frankfurt, March 1933.*

30, 31, 32 *Affiches van de nazi's.*
33, 35 *30 Januari 1933. Hitler aan de macht. De nationaal-socialisten vieren feest. (Hitler, Frick en Göring).*
34 *De nieuwe (nazi-)burgemeester van Frankfurt, Krebs. De joodse burgemeester Landmann is ontslagen.*
36 *Frankfurt, maart 1933. Op het stadhuis wordt de NSDAP-vlag met hakenkruis gehesen.*

34

35

36

8 DEMOCRACY ABOLISHED

8 DE DEMOCRATIE AFGESCHAFT

A doctrine of National Socialism is the 'leader principle,' the open rejection of parliamentary democracy. All other political parties are forbidden, and all other political opponents are eliminated.
In 1933 about 150,000 political opponents are sent to concentration camps for 're-education.' In the early years of the Hitler regime elections are organized for the sake of appearance only.

Eén van de wezenlijke kenmerken van het nationaal-socialisme is het 'leiderschapsprincipe' en het openlijk verwerpen van de parlementaire democratie. Alle andere politieke partijen zijn verboden en politieke tegenstanders worden vervolgd.
In 1933 worden in totaal ± 150.000 politieke tegenstanders voor 'heropvoeding' in concentratiekampen opgesloten.
In het begin van zijn regime organiseert Hitler nog verkiezingen, maar dat is uitsluitend voor de vorm.

38

37 *Hitler addresses the Reichstag October 6, 1939.*
38 *Even deceased democrats are enemies. The monument for Friedrich Ebert, the first president of Germany, is demolished.*
39 *Oranienburg concentration camp near Berlin. April 6, 1933.*

37 *Adolf Hitler spreekt de Rijksdag toe. (6 october 1939).*
38 *Ook dode democraten zijn vijanden van de nazi's. Het monument voor Friedrich Ebert – de eerste president van de democratische Weimarrepubliek – wordt gesloopt.*
39 *Concentratiekamp Oranienburg bij Berlijn, 6 april 1933.*

37

39

9, 10 THE ANTI-JEWISH BOYCOTT AND SPONTANEOUS ANTI-SEMITISM

On April 1, 1933, Joseph Goebbels declares the official boycott of Jewish shopkeepers, doctors and lawyers.
On April 11, 1933, all public servants with at least one Jewish grandparent are fired. These and scores of other measures are designed to remove Jews from their jobs and businesses. According to the Nazi philosophy, there is only room for pure white German ('Aryans') in the nation. Only Aryans can be 'compatriots' (*Volksgenossen*). Jewish companies are 'Aryanized.' The Nazis force Jewish business owners to sell their property, and the Nazis themselves fire the Jewish personnel.

9,10 DE ANTI-JOODSE BOYCOT EN SPONTAAN ANTI-SEMITISME

1 april 1933: Goebbels kondigt de officiële boycot van joodse winkels, artsen en advocaten af.
11 april 1933: Alle ambtenaren met tenminste één joodse grootouder worden ontslagen. Dergelijke en tientallen andere maatregelen verdrijven de joden uit hun beroep en bedrijf.
Volgens de nazi's is in het volk alleen plaats voor pure blanke Germanen ('ariërs'). Alleen zij kunnen 'Volksgenosse' zijn. Joodse bedrijven worden al snel 'gearisecrd'. De nazi's dwingen de joodse eigenaren hun bedrijf te verkopen, het joodse personeel wordt ontslagen.

40

42

41

43

44

40, 42, 43 *Appeals to boycott Jewish-owned shops.*
41 *'Jew.' Berlin, 1933.*
44 *A Jewish shopkeeper wearing his military decorations in front of his store in Cologne.*

40, 42, 43 *Boycot-propaganda tegen joodse winkels.*
41 *'Jood', Berlijn*
44 *Een joodse winkelier staat met zijn onderscheidingen uit de Eerste Wereldoorlog voor zijn winkel in Keulen.*

45, 46 *Carnival in Cologne. Men dress up as Jews, 1934. 'The last Jews disappear. We're only on a short trip to Lichtenstein or Jaffa.'*
47 *Carnival wagon with men in concentration camp uniforms: 'Away to Dachau.' Nuremberg, 1936.*
48 *At the Nuremberg carnival in 1938. 'National enemies.' A puppet at the gallows wearing a Star of David.*

45

46

47

48

45, 46 *De carnavalsoptocht in Keulen, 1934. Een wagen met als joden verklede mannen met het opschrift: 'De laatsten trekken weg – we maken alleen maar een klein uitstapje naar Lichtenstein en Jaffa'.*
47 *Neurenberg, 1936: De carnavalswagen 'Op naar Dachau' met mannen in gevangenenkledij.*
48 *De wagen met het motto 'Volksvijanden' uit de Neurenberger carnavalsoptocht.*

11 LABOR MOVEMENT

34

The Nazis try very quickly to dispand the labor movement. The arrest of 10,000 active members in March 1933 is a heavy blow to the trade unions. In spite of terror and repression, anti-Nazi trade union groups get 80% of the vote during company elections that same month.
On May 1, 1933, Hitler announces the celebration of the 'Day of National Labor.' The largest trade union, ADGB, calls on its members to participate. However, it turns into a mass Nazi manifestation. On May 2 the Nazis occupy the trade union buildings and seize union property. Trade union leaders are replaced by Nazis. The DAF (German Workers Front) is the only union allowed to operate as of May 10, 1933. All workers are forced to become members. There is no place for an independent labor movement that protects the interests of its members. Workers and employers must cooperate. Strikes are forbidden.

11 DE ARBEIDERSBEWEGING

De nazi's proberen al snel de arbeidersbeweging uit te schakelen. De arrestatie van 10.000 actieve leden in maart 1933 is een zware slag voor de vakbeweging. Toch halen niet-nazi kandidaten in maart 1933 bij de ondernemingsraadsverkiezingen nog 80% van de stemmen. Hitler kondigt aan op 1 mei de 'Tag der Nationalen Arbeit' te zullen vieren. De grootste vakcentrale ADGB roept op om toch mee te doen. Het wordt echter een massale nazi-manifestatie. Meteen de dag erna bezetten de nazi's de vakbondsgebouwen, nemen hun eigendommen in beslag en vervangen de vakbondsleiders door nazi's.
Het DAF (Deutsche Arbeits Front) is de enig toegestane vakbond vanaf 10 mei 1933. Alle werknemers moeten daar lid van worden. Voor een onafhankelijke vakbeweging die voor de belangen van haar leden opkomt is geen plaats: werkgevers en werknemers moeten volgens de nazi's samenwerken. Stakingen zijn verboden.

50

51

49 *Communists and Social Democrats are arrested by the SA. Spring 1933.*
50 *Throughout Germany millions of people celebrate the Day of National Labor on May 1, 1933. Munich.*
51 *On May 2, 1933, the SA seizes the trade union buildings throughout the entire country. Berlin.*

49 *Voorjaar 1933: Communisten en sociaal-democraten worden in groten getale gearresteerd door de SA.*
50 *1 Mei 1933, München. Aan de door de nazi's georganiseerde 'Dag van de Nationale Arbeid' nemen in heel Duitsland miljoenen mensen deel.*
51 *Op 2 mei 1933 bezet de SA overal in Duitsland de vakbondshuizen. Hier Berlijn.*

12 THE LABOR SERVICE

12 DE ARBEIDSDIENST

To fight the vast unemployment, the Nazis initiate employment projects: construction of freeways (*Autobahnen*) and fortification of the arms industry. The country's economy changes to a war economy. To that end everyone must contribute. Teen-agers and young adults are forced to work an allotted period of time for a nominal fee. Simultaneously, they are indoctrinated in Nazi ideology. From 1938 on workers in certain professions are forced to work in the war industry.

Om de grote werkloosheid te bestrijden zetten de nazi's werkgelegenheidsprojecten op, zoals de aanleg van autowegen en de wapenindustrie. Men schakelt over op een oorlogseconomie. Iedereen moet daaraan meewerken, vanaf 1935 ook de jongeren. Ze zijn verplicht tegen een geringe vergoeding een tijdlang te werken. Tegelijkertijd krijgen ze een nationaal-socialistische scholing. Vanaf 1938 worden de arbeiders uit bepaalde bedrijfstakken verplicht te werk gesteld in de oorlogsindustrie.

52 On behalf of 40,000 male and 2,000 female labor service workers, their leader pledges allegiance to Hitler. September 1938.
53 Workers marching to work.
54 Handing out of shovels to build the freeways.

52 September 1938. Namens 40.000 mannelijke en 2000 vrouwelijke arbeiders legt hun leider Hierl de eed van trouw aan Hitler af.
53 In colonne marcheren de arbeiders naar de bouwplaats van de Autobahn bij Frankfurt.
54 Het uitdelen van scheppen voor de aanleg van de Autobahnen.

53
54

52

13 THE NATIONAL SOCIALIST 'WELFARE STATE'

38

The Nazi state gives the impression it is taking care of everything: vacations, recreation, art and culture, health care for mother and child, etc. This, however, applies only to those who are '*Volksgenossen*': racially 'pure' and mentally and physically healthy.
The Nazis believe that a healthy nation should not spend money on the mentally handicapped. Consequently, thousands of mentally handicapped are quietly killed beginning in 1939. In contrast to their silence about the Jews, the churches voice indignation and protest over the killing of the mentally handicapped. The so-called euthanasia project is stopped in 1941. A total of 72,000 physically and mentally handicapped men, women and children and alcoholics are killed by injection or gas. In the last years of the Hitler regime another 130,000 patients die of starvation or cold.

13 DE NATIONAAL-SOCIALISTISCHE 'VERZORGINGSSTAAT'

De nazi-staat zegt voor alles te zullen zorgen: voor vakantie en ontspanning, kunst en cultuur, gezondheid van moeder en kind, een auto voor elk gezin, enzovoorts. Dat wil zeggen: uitsluitend voor dìe volksgenoten, die 'raszuiver' en geestelijk en lichamelijk gezond zijn.
Een gezond volk dient eigenlijk geen geld uit te geven aan de zorg voor zwakzinnigen, vinden de nazi's. In het geheim worden vanaf 1939 duizenden zwakzinnigen vermoord. In tegenstelling tot de jodenvervolging ontstaat hiertegen grote verontwaardiging en protest, met name bij de kerken.
In 1941 wordt dit zogenaamde 'euthanasieproject' gestopt. Er zijn dan ongeveer 72.000 geestelijk en lichamelijk gehandicapten en alcoholici omgebracht door injecties en vergassing. In de laatste oorlogsjaren komen nog eens 130.000 patiënten om van de honger en kou.

56

58

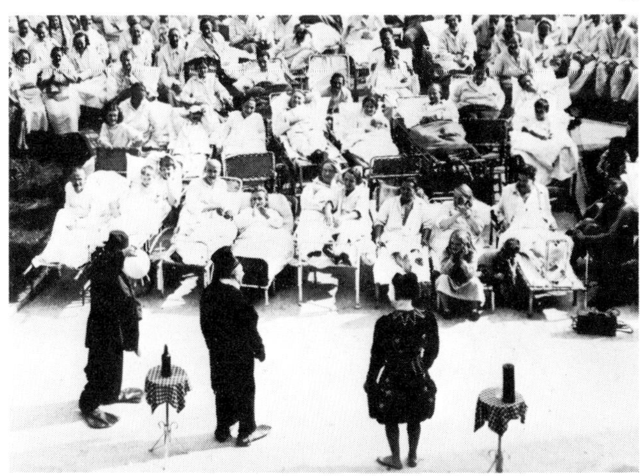

57

59

55, 56, 57 *The Kraft Durch Freude (Strength Through Joy) organization promises vacations and entertainment for every German: a trip to Madeira or Libya, to the mountains to ski or to the beach to swim. Even the famous Fratellini clowns perform for Kraft Durch Freude in the Horst Wessel Hospital. Kraft Durch Freude organizes vacations for one million Germans.*

58, 59 *With comparisons like these, the Nazis try to influence public opinion. 'A genetically healthy family is forced to live in an old railroad car.' 'Hereditarily mentally handicapped people in an institution.' From 'Little Handbook for Heredity and Race Sciences,' 1934.*

55, 56, 57 *De organisatie Kraft durch Freude (Kracht door Vreugde) belooft aan alle Duitsers vakantie en ontspanning. Een reis naar Madeira of Lybië, naar de wintersport of het strand. Zelfs de beroemde clowns de Fratellini's treden op via Kraft durch Freude in het Horst Wessel Ziekenhuis in Berlijn. Een miljoen Duitsers gaat met KdF voor het eerst op vakantie.*

58, 59 *Met suggestieve vergelijkingen beïnvloeden de nazi's de publieke opinie: 'Een erfelijk gezonde familie die in een oude spoorwagon moet wonen.' 'Erfelijk belaste zwakzinnigen in een verpleeginrichting' Uit: Kleine Erb- und Rassenkunde, 1934.*

14 POPULATION AND RACIAL POLICY

The Nazis encourage large families. More children mean more future soldiers. But these children must be racially 'pure' and healthy. On July 14, 1933, a law is introduced 'to prevent genetically unfit offspring.' The result: forced sterilization for individuals who are mentally handicapped, epileptic, deaf or blind.
1935: the Nuremberg laws 'protect German blood and German honor' by forbidding marriage between Jews and Aryans and by punishing Jews and Aryans who engage in sexuall intercourse.
1937: the Gestapo (Nazi police) brings 385 black German children to university hospitals to be sterilized.

14 BEVOLKINGS- EN RASSENPOLITIEK

De nazi's propageren het grote gezin: hoe meer kinderen, hoe meer toekomstige soldaten. Maar die kinderen moeten dan wel 'raszuiver' en helemaal gezond zijn.
14 juli 1933: 'Wet ter Voorkoming van Erfelijk Belast Nageslacht'. Dit houdt in: verplichte sterilisatie van o.a. erfelijk zwakzinnigen, epileptici, doven en blinden.
1935: De 'Neurenberger wetten ter Bescherming van het Duitse Bloed en de Duitse Eer' verbieden huwelijken tussen joden en 'ariërs' en stellen geslachtsverkeer tussen hen strafbaar ('Rassenschande').
1937: De Gestapo (nazi-politie) haalt 385 zwarte Duitse kinderen voor sterilisatie naar universiteitsklinieken.

60

61

62

63

64

60, 61, 62, 63 *'This is how a German mother looks, and this is a non-German alien mother. These are children of your own blood, and these belong to an alien race.' From the SS booklet 'Victory of Arms, Victory of Children.'*
64 *Day of Large Families. Frankfurt, 1937.*

60, 61, 62, 63 *'Zo ziet een Duitse moeder eruit, en zo een wezensvreemde. Dit zijn kinderen van uw bloed, die anderen behoren tot een vreemd ras.'*
64 *De Dag van de Kinderrijke Gezinnen, Frankfurt 1937.*

15,16 *YOUTH MOVEMENT*

Beginning in 1933 only one youth movement is allowed: the Hitler Youth (*Hitler Jugend*). All other organizations are either incorporated or forbidden. The aim is to convert youth into National Socialists. For boys the emphasis is on military training; for girls, motherhood.
The youth movement focuses on sports and physical activities. Reading and learning are of secondary importance.

15,16 *JEUGDBEWEGING*

Na 1933 is er in Duitsland nog maar één jeugdorganisatie: de Hitlerjugend. Alle vroegere jeugdorganisaties zijn hierin opgenomen of verboden. Het doel is de jeugd te vormen tot ware nationaal-socialisten. Voor jongens ligt de nadruk op militaire training; meisjes worden voorbereid op het moederschap.
In de Hitlerjugend moedigt men sport en lichamelijke activiteit aan. Lezen en leren vinden de nazi's veel minder belangrijk.

66

65

67

68

__65__ Not all members of Hitlerjugend (Hitler Youth) have a uniform by 1933.
__66, 67__ The Hitler Youth and the Bund Deutscher Mädel (League of German Girls) offer a variety of leisure activities.
__68__ Children between the ages of 10 to 14 are organized in the Jungvolk (Young Folk).

__65__ De Hitlerjeugd in 1933; nog niet geheel in uniform.
__66, 67__ De Hitlerjeugd en de Bund Deutscher Mädel bieden alle vormen van vrijetijdsbesteding.
__68__ Kinderen van 10 t/m 14 jaar moeten lid worden van het 'Jungvolk'.

17 EDUCATION

Education becomes National Socialist-oriented.
In April 1933 a law is passed to fire all teachers who are Jews or political opponents. Hundreds of textbooks are replaced by Nazi-written material. New subjects, such as genetics and the study of race and nation, are introduced.
The universities replace professors. Political opponents and Jews are stripped of their academic titles. The number of Jewish and female students is limited.
In 1938 Jews are barred from schools and universities altogether.

17 ONDERWIJS

Ook het onderwijs wordt nationaal-socialistisch. Al in april 1933 komt er een wet waardoor politieke tegenstanders en joden als leerkracht ontslag krijgen. Honderden schoolboeken worden vervangen door nationaal-socialistisch materiaal. Er komen nieuwe vakken zoals erfelijkheidsleer en ras- en volkenkunde. Ook op de universiteiten vervangt men hoogleraren door nazi's. Politieke tegenstanders en joden ontneemt men de doctorstitel. Men beperkt het aantal joodse en vrouwelijke studenten. In 1938 wordt de joden de toegang tot scholen en universiteiten ontzegd.

44

70

71

69 *Schoolchildren learn the Hitler salute.*
70 *Eugen Fischer, chancellor of the Univerisity of Berlin, is replaced by Wilhelm Krüger, who wears the traditional robe over his SS uniform, 1935.*
71 *Die Weisse Rose (The White Rose) is a student resistance organization in Munich, 1942. Hans and Sophie Scholl, brother and sister, are active members. They are caught by the Gestapo and executed after a quick trial. Anti-Nazi student groups such as these spring up in various German university towns.*

69 *Jong geleerd, oud gedaan: schoolkinderen leren de Hitlergroet te brengen.*
70 *De rector van de Universiteit van Berlijn, Eugen Fischer, wordt opgevolgd door Wilhelm Krüger, die de bijbehorende mantel over zijn SS-uniform aantrekt. (1935).*
71 *De 'Weisse Rose' is een studentenverzetsgroep in München, 1942. Hans en Sophie Scholl (broer en zus) spelen daarin een belangrijke rol. Ze worden echter samen met anderen opgepakt, en direct terechtgesteld. Ook in andere universiteitssteden ontstaan dergelijke studentenverzetsgroepen.*

18PROPAGANDA

Nazism is dependent upon propaganda. Mass meetings, photos, posters, stamps – they all are used to propagate the Nazi ideology. Nazis consider propaganda so important they even create a special Ministry of Propaganda under the leadership of Goebbels.

18PROPAGANDA

Het nazisme kan niet zonder propaganda.
Massabijeenkomsten, foto's, postzegels en affiches zijn allemaal gericht op dat ene doel: de verspreiding van de nationaal-socialistische leer.
De nazi's vinden propaganda zo belangrijk, dat er een Rijkspropaganda ministerie wordt opgericht met Joseph Goebbels aan het hoofd.

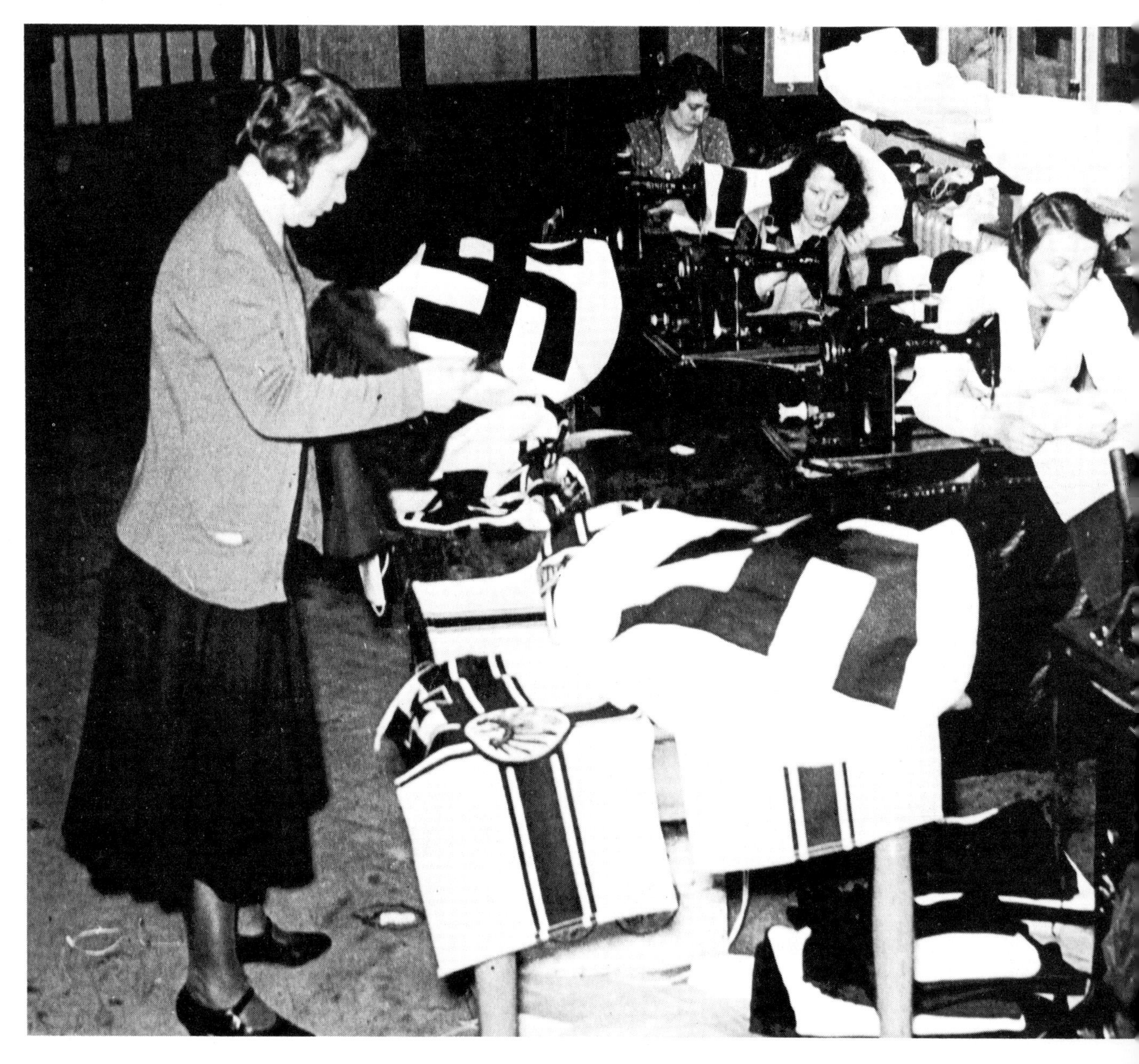

72 *A swastika flag for every household.*
73 *The annual 'Day of the Party, a gigantic propaganda meeting. 1937.*
74 *Propaganda from the magazine, stürmer: 'The Jews Are Our Misfortune.'*

72 *Voor elk Duits gezin een hakenkruisvlag.*
73 *De jaarlijkse 'Rijkspartijdagen' in Neurenberg zijn groots opgezette propagandabijeenkomsten. 1937.*
74 *Propaganda van het blad Stürmer: 'De joden zijn ons ongeluk.'*

73

74

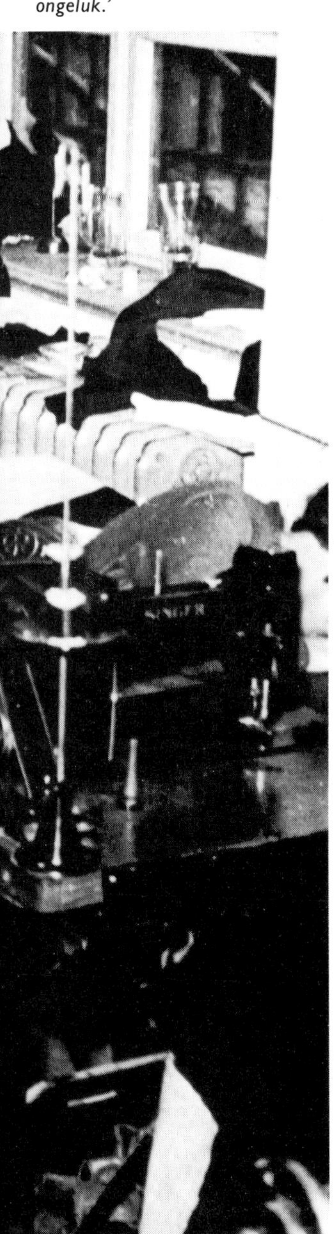

72

19 ART AND CULTURE

In Hilter's Germany art and culture are made totally subordinate to the Nazi ideology. All works of art by Jews and political opponents are destroyed or confiscated and henceforth forbidden.
The independent artist can no longer work. Painters, musicians and authors are forced to join Goebbels' 'chamber of culture' in order to continue working.

19 KUNST EN CULTUUR

Kunst en cultuur zijn in het Derde Rijk volkomen ondergeschikt aan de nazi-ideologie. Als eerste worden kunstuitingen van joden en politieke tegenstanders verboden, vernietigd of in beslag genomen.
De zelfstandige, vrij werkende kunstenaar wordt het werken onmogelijk gemaakt. Om te kunnen blijven werken zijn schilders, musici en schrijvers verplicht lid te worden van de door Goebbels ingestelde 'Kulturkammer'.

75

75 *Artists are forced to choose between leaving the country or adapting to the new situation. Film director Leni Riefenstahl (center) puts her skills to use for the Nazis. Her famous propaganda movie is 'Triumph des Willens' (Victory of the Will), a documentary of the Nazi Party Day in Nuremberg.*
76, 77, 78 *The burning of banned books in Berlin. May 1933.*

75 *Kunstenaars moeten kiezen tussen emigreren of aanpassen. De filmregisseuze Leni Riefenstahl (midden) stelt zich volledig in dienst van de nazi's. Haar bekendste propagandafilm is 'Triumf des Willens', over de NSDAP-partijdag in Neurenberg.*
76, 77, 78 *Boekverbrandingen in mei 1933.*

76

77

78

20 CHURCH AND RELIGION

20 KERK EN GELOOF

Although the Nazi ideology is basically anti-Christian, from 1933 on the Nazis can count on ample support from the German churches. With few exceptions both the Protestant and Catholic churches endorse the racial and political principles of the Nazis.
On March 28, 1933, the Catholic bishops declare their loyalty to Hitler. The next month the Protestant *Altpreussische Union* also endorses Hitler.
During elections in the Evangelical Church on July 25, 1933, the anti-Semitic 'German Christians' capture a large majority. The official churches fail to protest against the persecution of the Jews, even Jews who had converted to Christianity.

Hoewel de nazi-ideologie anti-christelijk is, kunnen de nazi's vanaf 1933 op ruime steun van de Duitse kerken rekenen. Op enkele uitzonderingen na stellen zowel de katholieke als de protestantse kerken in Duitsland zich achter de rassen- en staatsopvattingen van de nazi's. Reeds op 28 maart 1933 verklaren de katholieke bisschoppen hun trouw aan Hitler. Op 16 april gebeurt ditzelfde door de protestantse Altpreussische Union.
Bij de verkiezingen in de Evangelische kerk op 25 juli 1933 behalen de anti-semitische 'Deutsche Christen' een ruime meerderheid. Van de officiële kerken hoort men geen woord van protest tegen de jodenvervolgingen, zelfs gedoopte joden worden door hen in de steek gelaten.

80

81

79

79 *Bishop Müller. September 25, 1934.*
80 *Meeting of the Deutsche Christen (German Christians) in the Berlin Sports Palace. November 13, 1934.*
81 *Hildegard Schaeder is a member of the Bekennende Kirche to which Dietrich Bonhoeffer and Martin Niemöller also belong. Unlike the official churches, this group protests from the very beginning against the persecution of the Jews. Mrs. Schaeder helps refugees and Jews leave Germany. Between 1943 and 1945 she is detained in Ravensbrück concentration camp.*

79 *Rijksbisschop Müller spreekt, 25 september 1934.*
80 *Bijeenkomst van de 'Deutsche Christen' in het Sportpaleis in Berlijn, 13 november 1934.*
81 *Ondanks de samenwerking tussen de officiële kerken en de nazi's bestaat er binnen de kerken wel verzet. Hildegard Schaeder is lid van de zgn. Bekennende Kirche, waarvan ook Dietrich Bonhoeffer deel uitmaakt. De Bekennende Kirche protesteert vanaf het begin tegen de jodenvervolgingen. Hildegard Schaeder helpt met de opvang en ontsnapping van joden. Van 1934 tot 1945 is zij gevangen in het kamp Ravensbrück.*

21 ARMY AND REARMAMENT

21 LEGER EN HERBEWAPENING

Shortly after seizing power, Hitler meets with the top echelon of the German Army to propose his plans. The 'Shame of Versailles' must be erased. Rearmament, return of the lost territories and new 'space to live' (*Lebensraum*) in the east are his goals. The army is willing on one condition: that the power of the SA, Hitler's paramilitary organization consisting of 2.5 million men, is limited.
On Hitler's orders, the top leaders of the SA are murdered on June 30, 1934.
At the end of 1934 the army swears its oath of loyalty to Hitler personally. In 1935 the draft is introduced.

Enkele dagen nadat Hitler de macht heeft overgenomen ontmoet hij de legertop. Hij bespreekt met hen zijn plannen. Allereerst wil hij Duitsland herbewapenen en de bij het Verdrag van Versailles verloren gegane gebieden terugeisen. Daarnaast wil hij 'Lebensraum': het Duitse Rijk moet naar het oosten worden uitgebreid. De legertop wil wel meewerken mits de macht van de SA (2,5 miljoen leden) aan banden wordt gelegd. Op bevel van Hitler wordt op 30 juni 1934 de top van de SA door de SS vermoord. Vanaf dat moment is Hitler van de steun van het leger verzekerd. In 1935 wordt de dienstplicht weer ingevoerd.

82 *General Ludwig Beck resigns in 1938 after learning of Hitler's plan to attack Czechoslovakia. Later, Beck is involved in the attempted murder of Hitler on July 20, 1944. When the attack fails, he commits suicide.*
83 *The first group of new recruits. June, 1935.*
84 *The arms industry in full action. Between 1934 and 1939 more than 60 billion German Marks are spent on armament.*

82 *Generaal Ludwig Beck neemt in 1938 ontslag als hij van de aanvalsplannen op Tsjechoslowakije hoort. Later is hij nauw betrokken bij de (mislukte) aanslag op Hitler, 20 juli 1944, waarna hij zelfmoord pleegt.*
83 *De eerste lichting nieuwe dienstplichtigen, juni 1935.*
84 *De wapenindustrie werkt op volle toeren. Tussen 1934 en 1939 wordt ruim 60 miljard Rijksmark aan bewapening uitgegeven.*

82

83

84

22 LAW AND JUSTICE

In April 1933 Adolf Hitler receives a delegation of German judges. Although the judges dedicate themselves to the new order, they ask that in return for their loyalty, Hitler agree to guarantee their independence. Hitler does agree, provided certain 'necessary measures' are taken.
The delegation approves his measures, and as a result, Jews and political opponents are fired.
A few judges realize the ramifications and retire. Other judges believe that by staying on, worse situations can be prevented. Soon, however, the judicial system becomes part of the terror machinery. To begin with, the judges accept the race laws and evidence obtained by torture. Then they accept the unrestricted actions of the SA, SS and Gestapo against so-called traitors. And finally, they even accept that Jews, homosexuals and gypsies are being stripped of any rights.

22 RECHT EN RECHTSPRAAK

Op 7 april 1933 ontvangt Adolf Hitler een delegatie van de Duitse rechters. Zij verklaren dat ook de rechters zich zullen inzetten voor de nieuwe orde, maar ze verzoeken hem de onafhankelijkheid van de rechters te garanderen. Hitler is daartoe bereid, mits een aantal 'noodzakelijke maatregelen' wordt getroffen. De delegatie stemt toe: joden en politieke tegenstanders worden ontslagen.
Slechts enkele rechters trekken de consequenties en nemen ontslag. Anderen zijn overtuigde nazi's, of menen aan te moeten blijven om erger te voorkomen. Na enige tijd evenwel maakt het rechterlijke apparaat deel uit van het terreursysteem. De rechterlijke macht accepteert de rassenwetten, en bewijsmateriaal dat door marteling verkregen is. Zij ziet het eigenmachtig optreden van de SA, SS en Gestapo tegen zogenaamde 'verraders' door de vingers. Zij accepteert dat joden, zigeuners en homofielen van al hun rechten worden beroofd.

85 *Street control in Berlin, 1933.*
86 *A member of the SA (right) serves as a police officer. The original caption of this photo read: 'Law and order restored in the streets of Berlin.'*
87 *The SA in action. Their victims have no rights.*
88 *The SA and SS (Schutz Staffel, an elite military corps that protects party officials) Nazi troops are incorporated into the German police force in March 1933.*

85 *Straatcontrôle in Berlin, 1933.*
86 *SA-er als politieman, rechts. Onderschrift: 'Rust en orde in de straten van Berlijn'.*
87 *De SA in actie. De slachtoffers zijn rechteloos.*
88 *De nazi-partijlegers, SA en SS (Schutz Staffel, een eliteleger dat de partijleiding beschermt) worden na de machtsovername bij de politie ingelijfd. De SS staat aangetreden.*

85

86

87

88

23 'KRISTALLNACHT'

Between November 9 and 11, 1938, scores of synagogues and thousands of Jewish-owned shops are ransacked and burned. This is known as 'Crystal Night,' named after the shattered glass windows which were a result of the rampage. The Crystal Night signifies an important, stepped-up persecution of the Jews.
Starting November 12 the first mass arrests of Jews take place. About 30,000 Jewish men and boys are taken and deported to the Buchenwald, Dachau and Sachsenhausen concentration camps.

23 'REICHSKRISTALLNACHT'

Van 9 tot 11 november 1938 worden tientallen synagogen, duizenden 'joodse' winkels en gebouwen in brand gestoken en vernield. Deze actie, de zgn. 'Reichskristallnacht', markeert een belangrijke verscherping van de jodenvervolging. De dagen daarna vinden de eerste massa-arrestaties plaats: ongeveer 30.000 joodse mannen en jongens worden opgepakt en naar de concentratiekampen Buchenwald, Dachau en Sachsenhausen afgevoerd.

89 *Jewish shops with shattered windows.*
90 *Frankfurt's synagogue afire, November 9, 1938.*
91, 92 *The ruins of a synagogue in Oranienburger Street, Berlin.*

89 *Joodse winkels na de Kristallnacht.*
90 *De Frankfurter synagoge brandt. Börneplatz, 9 november 1938.*
91, 92 *De ruine van een Berlijnse synagoge in de Oranienburger Strasse.*

89

90

91

92

24 THE JEWISH REFUGEES

24 JOODSE VLUCHTELINGEN

From 1933 on more and more Jews leave Germany but *Kristallnacht* in 1938 triggers a mass exodus. By the spring of 1939 about half of Germany's 500,000 Jews have left. The problem for Jews is where to go.
Jewish refugees are not welcome everywhere. Many countries quickly place a quota on the number of Jews they allow to enter, or in some cases, countries even close their borders to Jews. As a result, German-Jewish refugees are scattered throughout the world, sometimes through bizarre and round-about ways.

Vanaf 1933 nemen steeds meer joden de beslissing Duitsland te verlaten; in de loop van 1938, vooral na de Reichs-Kristallnacht, neemt het aantal joodse vluchtelingen enorm toe. In het voorjaar van 1939 heeft de helft van de ongeveer 500.000 joden Duitsland verlaten. De grote vraag voor hen is: waar naartoe? Joodse vluchtelingen zijn niet overal welkom. Veel landen nemen beperkende maatregelen met betrekking tot het aantal joodse immigranten, of sluiten zelfs hun grenzen. Zo komen de Duitse joden soms via de vreemdste routes over de hele wereld terecht.

93

93 *A travel agency on Meineke Street. Berlin, 1939.*
94, 95 *Jewish refugees on their way to England.*
96 *Arrival of Jewish refugees in Shanghai. By 1940 about 20,000 are allowed to settle there.*

93 *Een reisbureau in Berlijn, Meinekestraat. 1939.*
94, 95 *Joodse vluchtelingen op weg naar Engeland.*
96 *Aankomst van vluchtelingen in Sjanghai, waar in 1940 20.000 joden worden opgenomen.*

94

95

96

25 *POLITICAL AND MILITARY EVENTS*

March 7, 1936	Germany occupies the demilitarized Rhineland.
March 12, 1938	Austria's annexation.
September 29, 1938	The Munich Treaty. France and Great Britain agree to the occupation of Sudetenland.
August 23, 1939	Nonaggression pact between Germany and the Soviet Union; Poland is divided between them.
September 1, 1939	Germany invades Poland.
September 3, 1939	France and Great Britain declare war on Germany.
April 9, 1940	Germany invades Denmark and Norway.
May 10, 1940	Germany invades Holland, Belgium, Luxembourg and France.
August 27, 1940	Germany, Italy and Japan form a pact.
September 12, 1940	Germany invades Romania.
April 6, 1941	Germany invades Yugoslavia and Greece.
June 22, 1941	Germany invades the Soviet Union.
December 7, 1941	Japan attacks Pearl Harbor.
December 8, 1941	The United States declares war on Japan.
December 11, 1941	Germany and Italy declare war on the United States.
November 7, 1942	American and British troops land in North Africa.
February 2, 1943	The German 6th Army capitulates at Stalingrad.
July 10, 1943	Allied landing in Sicily.
June 4, 1944	Liberation of Rome.
June 6, 1944	Allied invasion in Normandy France (D-Day).
June 22, 1944	Russian advance on the Eastern Front.
July 20, 1944	Lt. Col. von Stauffenberg perpetrates a bomb attack against Hitler. The attack fails.
September 11, 1944	American soldiers reach the border of Germany.
February 4, 1945	Conference in Yalta. The United States, Great Britain and the Soviet Union discuss the division of spheres of influence in Europe.
May 5, 1945	Liberation of Holland.
May 8, 1945	The German Army surrenders unconditionally.
August 6, 1945	Atomic bombs on Hiroshima and Nagasaki force Japan to surrender.

25 POLITIEKE EN MILITAIRE GEBEURTENISSEN

7 maart, 1936	Duitsland bezet het gedemilitariseerde Rijnland.
12 maart, 1938	Oostenrijk wordt bij het Duitse Rijk ingelijfd.
29 september, 1938	Het Verdrag van München. Frankrijk en Engeland stemmen in met de Duitse bezetting van Sudetenland, deel van Tsjechoslowakije.
23 augustus, 1939	Niet-aanvalsverdrag tussen Duitsland en de Sovjet-Unie. Polen worden door beide verdeeld.
1 september, 1939	Duitsland valt Polen binnen.
3 september, 1939	Frankrijk en Engeland verklaren Duitsland de oorlog.
9 april, 1940	Duitsland valt Denemarken en Noorwegen binnen.
10 mei, 1940	Duitsland valt Nederland, België, Luxemburg en Frankrijk binnen.
27 augustus, 1940	Duitsland, Italië en Japan sluiten zich aaneen.
12 september, 1940	Duitsland valt Roemenië binnen.
6 april, 1941	Duitsland valt Griekenland en Joegoslavië binnen.
22 juni, 1941	Duitsland valt de Sovjet-Unie binnen.
7 december, 1941	Japan valt de Amerikaanse basis Pearl Harbour aan.
8 december, 1941	De V.S. verklaart Japan de oorlog.
11 december, 1941	Duitsland en Italië verklaren de V.S. de oorlog.
7 november, 1942	Amerikanen en Engelsen landen in Noord-Afrika.
2 februari, 1943	Het Duitse Zesde Leger capituleert bij Stalingrad.
10 juli, 1943	De geallieerden landen op Sicilië.
4 juni, 1944	Rome wordt bevrijd.
6 juni, 1944	Geallieerde invasie in Normandië, Frankrijk (D-day).
22 juni, 1944	Opmars van de Sovjet-Russische troepen aan het oostelijk front.
20 juli, 1944	Overste Von Stauffenberg pleegt een bomaanslag op Hitler. De aanslag mislukt.
11 september, 1944	Amerikaanse troepen bereiken de Duitse grens.
4 februari, 1945	Conferentie van Jalta. De Sovjet-Unie, Engeland en de V.S. bespreken de verdeling van invloedssferen in Europa.
5 mei, 1945	Nederland bevrijd.
8 mei, 1945	Het Duitse leger geeft zich onvoorwaardelijk over.
6 augustus, 1945	Atoombommen op Hiroshima en Nagasaki dwingen Japan tot capitalatie.

26 JEWISH LIFE IN HOLLAND BEFORE 1940

26 JOODS LEVEN IN NEDERLAND VOOR DE OORLOG

The Jewish population in Holland in 1940 is about 140,000, 24,000 of whom are refugees. The Dutch government, which is not convinced of the Jews' need to flee from Germany, restricts the number of immigrants allowed into Holland. The only assistance available to refugees is in camps like Westerbork, for which the Dutch Jewish community is required to pay all costs.
Amsterdam has the largest Jewish community: 90,000. Most are poor. They work in the trade, garment and diamond industries.
Although there are expressions of anti-Semitism, most Jews feel they have assimilated into the Dutch community.

In 1940 telt Nederland ongeveer 140.000 joodse inwoners, waaronder 24.000 joodse vluchtelingen. De overheid laat maar weinig vluchtelingen toe: men is niet erg overtuigd van de noodzaak tot vluchten. Voor zover er sprake is van opvang, gebeurt dat in barakkenkampen zoals Westerbork, die bovendien door de Nederlandse joodse gemeenschap bekostigd moeten worden.
Amsterdam heeft in de dertiger jaren veruit de grootste joodse gemeenschap: 90.000 mensen. De meesten zijn tamelijk arm. Velen werken in de handel of in de kleding- en diamantindustrie.
Hoewel uitingen van anti-semitisme voorkomen, voelt verreweg het grootste deel van de joodse gemeenschap zich opgenomen in de Nederlandse samenleving.

97

98

97 *Uilenburg, a street in the Jewish quarter in Amsterdam.*
98 *Matzo bakery in the Jewish quarter in Amsterdam.*
99 *The Waterloo Square market located in the center of the Jewish quarter, Amsterdam.*
100 *Jews at work in the diamond industry.*

97 *In de Amsterdamse jodenbuurt, Uilenburg.*
98 *Matze-bakkerij in de Amsterdamse jodenbuurt.*
99 *De Waterlooplein-markt in Amsterdam, midden in de joodse buurt.*
100 *In de diamantslijpers werken veel joden.*

99

100

THE FRANK FAMILY
HOLLAND, 1933-1940.

In 1933, after Hitler seizes power and the anti-Jewish boycott, Otto Frank leaves Frankfurt for Amsterdam. He starts a branch of the German Opekta Co. there, and soon Edith, Margot and Anne join him.
The Frank family moves into a house on Merwedeplein in the southern part of the city. Anne and Margot attend the Montessori School nearby. They have lots of friends, and photographs are proof of the many excursions they took. The Franks become good friends with some other Jewish emigrants who settle in the same neighborhood. The Opekta Co. is doing rather well.
However, this apparent carefree life is suddenly interrupted by the German invasion in May 1940.

DE FAMILIE FRANK
NEDERLAND, 1933-1940

In 1933, het jaar van Hitler's machtsovername en de anti-joodse boycot, vertrekt Otto Frank naar Amsterdam. Daar opent hij een filiaal van de Duitse firma Opekta. Al snel voegen Edith, Margot en Anne zich bij hem.
De familie Frank vindt een huis in Amsterdam-Zuid, aan het Merwedeplein. Daar groeien Margot en Anne op.
Ze gaan naar de vlakbij gelegen Montessori-school, hebben veel vriendinnen en maken vaak uitstapjes. In Amsterdam-Zuid wonen in de dertiger jaren veel joodse emigranten, en de familie Frank raakt met enkelen van hen goed bevriend.
Met de firma Opekta gaat het redelijk goed.
Maar aan het tamelijk ongestoorde leven komt met de Duitse inval van mei 1940 een eind.

101

102

103

101, 102 *Anne with her girl friend Sanne on Merwedeplein, Amsterdam.*
103, 104 *Summer 1934.*
105 *Anne with a girl friend, 1934.*

101, 102 *Anne met haar vriendinnetje Sanne op het Merwedeplein in Amsterdam.*
103, 104 *Zomer 1934.*
105 *Anne met een vriendinnetje, 1934.*

104

105

106

106 *Anne attends a Montessori school, 1936.*
107 *In Amstelrust Park with a rabbit, 1938.*

106 *Anne op de Montessori-school, 1936.*
107 *In Amstelrust met een konijntje, 1938.*

107

108

108 *Anne's 10th birthday. June 12, 1939 (Anne, second from left).*
109 *Anne.*
110 *Margot, a girl friend and Anne on the beach at Middelkerke, Belgium. July 1937.*

108 *Op Anne's tiende verjaardag, 12 juni 1939. (tweede van links is Anne)*
109 *Anne*
110 *Margot, een vriendinnetje en Anne aan het strand in Middelkerke, België, juli 1937.*

109

110

111

112

111 *Anne on the roof of the house on Merwedeplein, 1940.*
112 *The Frank family on Merwedeplein, May 1940.*
113 *Anne with Hermann and Herbert Wilp.*

111 *Anne op het plat van de woning aan het Merwedeplein, 1940.*
112 *De familie Frank op het Merwedeplein, mei 1940.*
113 *Anne met Hermann en Herbert Wilp.*

113

114

115

116

114 *Margot and Anne, 1940.*
115 *On the beach in Zandvoort, August 1940.*
116 *Anne. 1940.*

114 *Margot en Anne, 1940.*
115 *Aan het strand, in Zandvoort augustus 1940.*
116 *Anne, 1940.*

117 *Margot.*

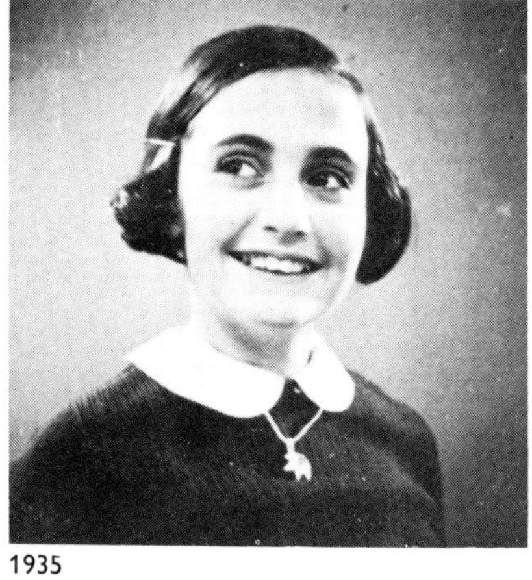
1935

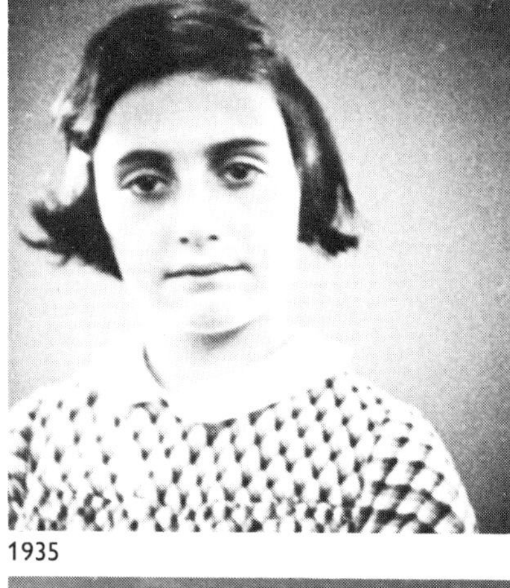
1935

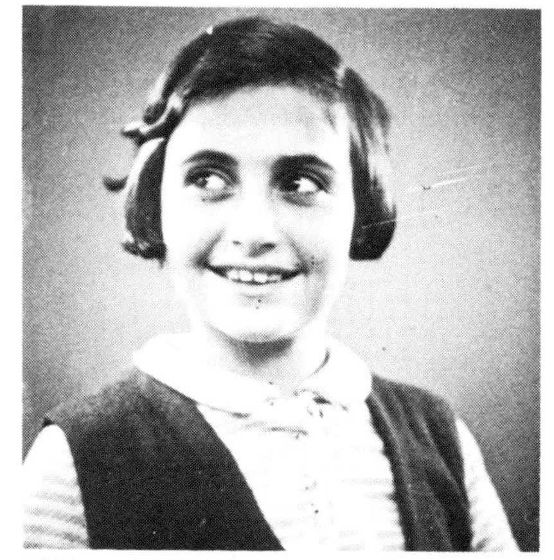
1936

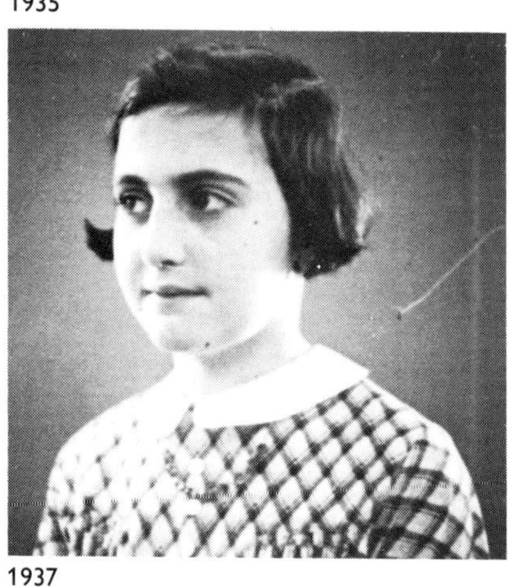
1937

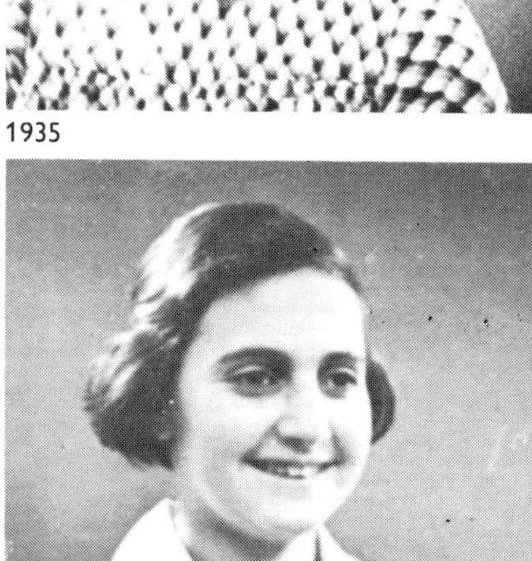

1938

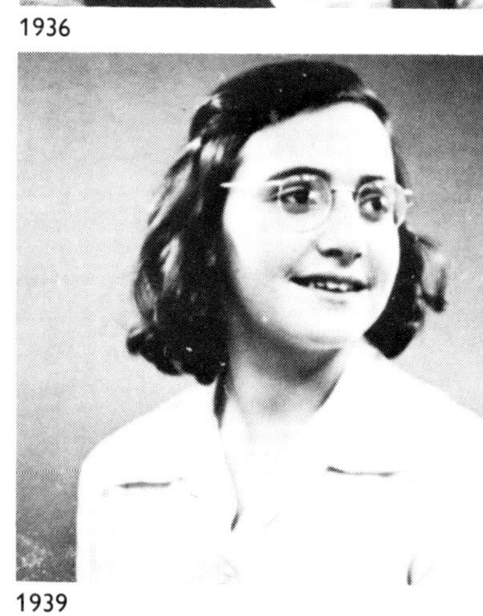

1939

1940

1941

1942

118 *Anne.*

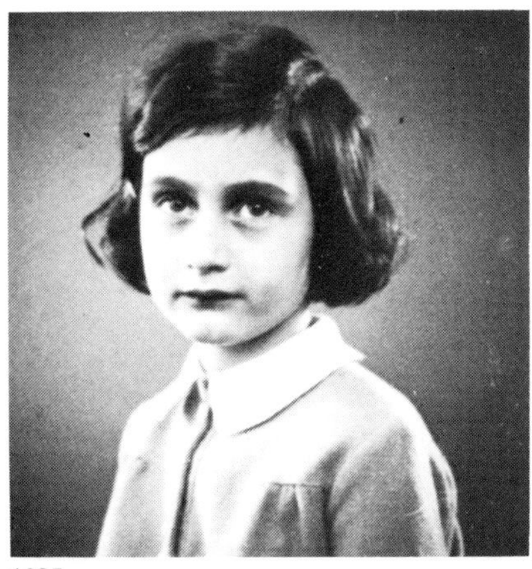

1935

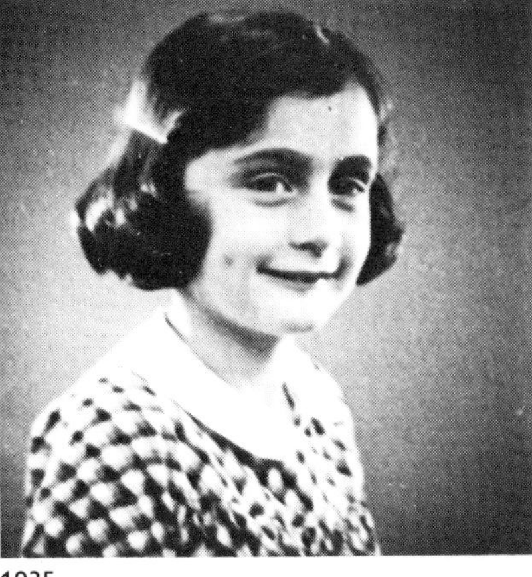

1935

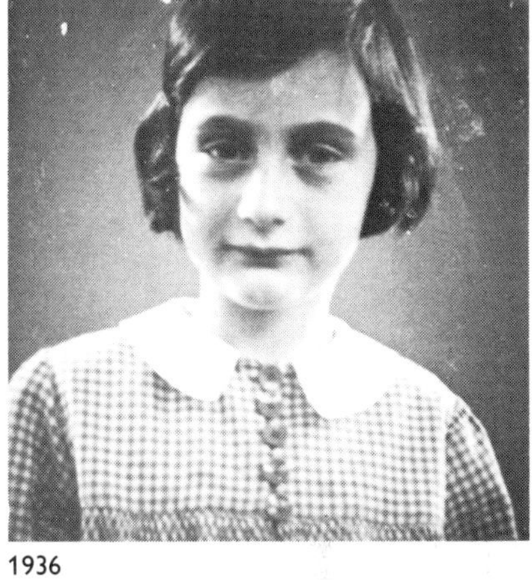

1936

1937

1938

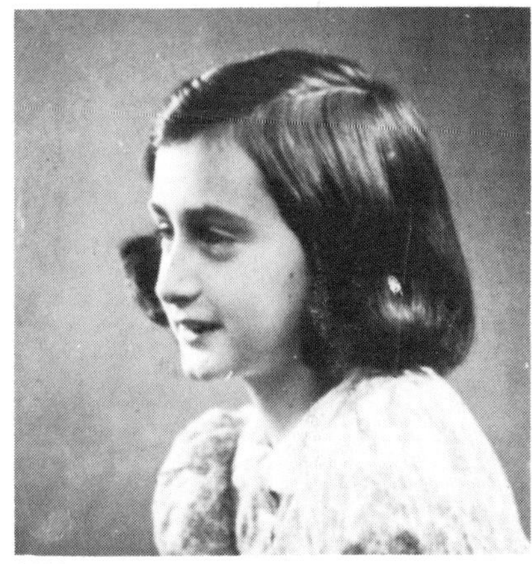

1939

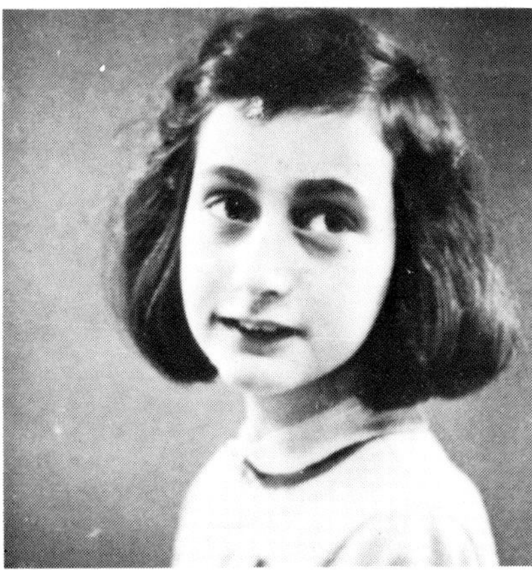

1940

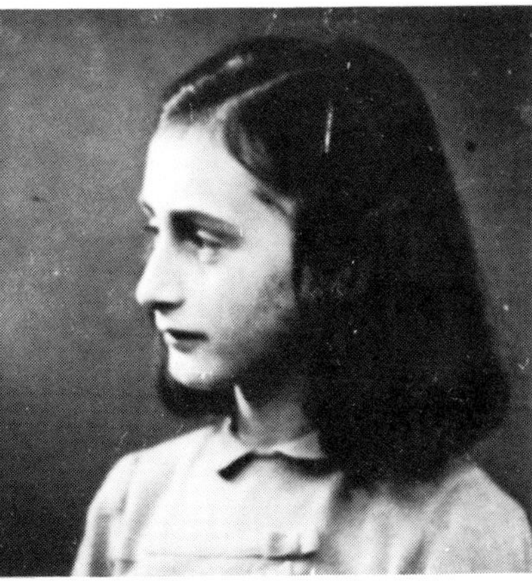

1941

1942

27 INTERNATIONAL REACTIONS

72

The reactions from other countries to Hitler's seize of power differ markedly. Many do not believe he will stay in power for a long time and do not want to get involved. Others strongly oppose the developments in Germany. Still others are so enthusiastic about Hitler they organize National Socialist movements in their own country. In general, the danger of National Socialism and the persecution of the Jews is underestimated.

27 INTERNATIONALE REACTIES

De reacties vanuit het buitenland op Hitler's machtsovername verschillen sterk. Velen geloven eenvoudig niet, dat zijn regering het lang zal volhouden, en bemoeien zich er verder niet mee. Anderen komen wel in verzet tegen de gebeurtenissen in Duitsland. Wéér anderen zijn er zo enthousiast over, dat ze in hun eigen land nationaal-socialistische bijeenkomsten organiseren. Over het algemeen onderschat men het nationaal-socialisme en de jodenvervolging enorm.

120

121

119 *As a protest against the mass arrests of socialists and communists, 18-year-old Sara Roth chains herself to a street lamp in Washington, D.C., 1933.*
120 *A plan to open Palestine to Jewish refugees. London, November 1938.*
121 *A branch of the SA is founded in California.*

119 *Uit protest tegen de massale arrestaties van socialisten en communisten ketent Sara Roth (18) zich vast aan een lantaarnpaal in Washington DC. 1933.*
120 *November 1938. Protestactie in Londen waarbij men eist dat Palestina voor joodse vluchtelingen wordt opengesteld.*
121 *In Californië, V.S., wordt een eigen SA-afdeling opgericht.*

28 DUTCH NATIONAL SOCIALISTS BEFORE 1940

28 DE NEDERLANDSE NATIONAAL-SOCIALISTEN VOOR DE OORLOG

In 1931 Anton Mussert establishes the National Socialist Movement (NSB). In the '30s it becomes a growing political party, and in 1935 it captures nearly 8% of the vote. The following of the NSB consists of small businessmen, civil servants and farmers who have lost faith in the country's sectarian political parties.
After 1935 the popularity of the NSB diminishes, partly because of its acknowledged anti-Semitism. When Germany invades Holland the organization still has 27,000 members.

In 1931 richt Anton Mussert de Nationaal Socialistische Beweging op. In de loop van de dertiger jaren groeit de partij sterk. De NSB haalt in 1935 bijna 8% van de stemmen. Haar aanhang is vooral te vinden bij ambtenaren, de kleine burgerij en boeren, die zich niet meer met de confessionele partijen verbonden voelen. Na 1935 neemt de populariteit van de NSB af, o.a. vanwege haar openlijke anti-semitisme. Maar als Duitsland Nederland in mei 1940 binnenvalt, zijn nog steeds ruim 27.000 mensen bij de NSB aangesloten.

122

122 The NSB cadre pledge allegiance to Mussert in Utrecht.
123 The NSB-youth organization: The National Youth Storm.
124 NSB mass meeting.
125 The NSB is fiercely anti-communist in the election campaign: Mussert or Moscow.
126 'Fascism means action.'

122 Het kader van de NSB zweert trouw aan Mussert in Utrecht.
123 De NSB-jeugdorganisatie: De Nationale Jeugdstorm.
124 Massale NSB-bijeenkomst.
125 In haar verkiezingsleuzen richt de NSB zich fel tegen het communisme: 'Mussert of Moskou'.
126 NSB-propagandawagen.

124

125

123

126

29 MAY 1940: OCCUPATION OF HOLLAND

The German invasion begins on May 10, 1940, and is a complete surprise. Holland expected to remain neutral as it had done during World War I.
The occupation is swift. In a few days all important areas are seized. The prime minister and his cabinet, as well as the Royal Family, fly to England. After fierce fighting near Arnhem and the bombing of Rotterdam, Holland is forced to surrender. As of May 15, 1940, the country is under German occupation.

29 MEI 1940: NEDERLAND BEZET

De Duitse inval op 10 mei 1940 komt voor de meeste Nederlanders volstrekt onverwacht. Men had gedacht neutraal te kunnen blijven zoals tijdens de Eerste Wereldoorlog. De overval gaat zeer snel in zijn werk. Binnen enkele dagen zijn bijna alle vitale punten onder controle van de Duitsers. De regering en het Koninklijke Huis vluchten naar Engeland. Na felle gevechten bij Arnhem en het bombardement op Rotterdam moet Nederland zich onvoorwaardelijk overgeven. Vanaf 15 mei 1940 is Nederland bezet gebied.

128

129

130

__127__ German paratroopers land in Holland. May 10, 1940.
__128, 129__ The bombing of Rotterdam. More than 900 people are killed; more than 24,000 houses, destroyed.
__130__ Capitulation. Dutch soldiers turn in their weapons at Binnenhof, the seat of government in The Hague.

__127__ Duitse parachutisten landen in Nederland, 10 mei 1940.
__128, 129__ Bombardement op Rotterdam. Meer dan 900 mensen worden gedood en meer dan 24.000 huizen verwoest.
__130__ Capitulatie. De Nederlandse militaire leveren hun wapens in op het Binnenhof, Den Haag.

30, 31 *THE FIRST MEASURES*

After the first shock and terror of the military actions, most Dutch are relieved that the Germans are behaving 'properly.' The majority of Dutch do not question the right of the Germans to impose their rules. Some measures taken by the Germans, like the blackouts, seem reasonable; others seem bearable, such as the introduction of the I.D. card. Since Germany seems invincible, it stands to reason one has to adapt to the inevitable. The large majority of civil servants, teachers and judges – as well as the Jews among them – fill out the 'Declaration of Aryanism.' The socialist trade union gets a NSB director, but most trade union leaders want to stay to salvage as much of their organization as possible. Thousands of members drop their union membership. A number of politicians establish a new political organization – the Dutch Union – which is anti-National Socialist but accepts the changed situation. In practice they do not oppose the German occupation. After a year, however, this union is also banned.

131

30,31 *DE EERSTE MAATREGELEN*

De ontzetting over de militaire acties maakt plaats voor opluchting. De meeste Nederlanders vinden dat de Duitse bezetters zich 'correct' gedragen. Een aantal maatregelen van de bezetters lijkt redelijk zoals bijv. de verduistering. Andere, zoals de invoering van het persoonsbewijs, lijken nog wel te dragen. De vraag, of niet principieel elke medewerking moet worden geweigerd, komt nauwelijks op. Duitsland lijkt onoverwinnelijk: men legt zich bij de situatie neer. De grote meerderheid van ambtenaren, onderwijzers, rechters – ook joodse – vult de zogenaamde 'Ariër-verklaring' in.
Het NVV (Nederlands Verbond van Vakverenigingen, de grootste vakbond) krijgt een NSB-er als topman. De meeste NVV-leiders menen zich bij de situatie te moeten neerleggen, om nog zoveel mogelijk van de organisatie te redden. Duizenden leden zeggen echter al snel hun vakbondslidmaatschap op. De protestantse en katholieke vakbonden lopen na gelijkschakeling massaal leeg. Een drietal politici richt een nieuwe politieke organisatie op, de Nederlandse Unie, die binnen korte tijd honderdduizenden leden heeft. Deze Unie is weliswaar niet nationaal-socialistisch, maar verzet zich in de praktijk niet tegen de Duitse bezetting ('erkenning van de gewijzigde verhoudingen is nodig').
Aanvankelijk mag de Unie naast de NSB blijven bestaan, maar een jaar later wordt zij toch verboden, net zoals met de andere partijen al eerder is gebeurd.

133

132

134

131 *Ration cards are needed to buy food.*
132 *Voting booths in Rotterdam are converted into dressing rooms.*
133 *Fences are erected along side the Amsterdam canals because the blackout makes walking dangerous at night.*
134 *Pigeons are captured and killed to prevent them from carrying messages. July 1940.*

131 *Om levensmiddelen te kunnen kopen heeft men bonnen nodig.*
132 *Stemhokjes worden in Rotterdam tot badhokjes omgebouwd.*
133 *Door de verduistering is het lopen langs de grachten gevaarlijk; daarom worden hekken geplaatst.*
134 *Duiven worden gevangen omdat zij wellicht berichten overbrengen. Juli 1940.*

135

135 *Nederlandse Unie (the Dutch Union) attracts hundreds of thousands of members quickly.*
136 *New measures are announced.*
137 *As of May 1941, every Dutch citizen is required to carry an identification card, a first for the Dutch. This registration takes place in Amsterdam.*
138 *Mayors are made aware of the Nazi ideology.*

135 *De Nederlandse Unie.*
136 *Via plakkatcn worden nieuwe maatregelen overal aangekondigd.*
137 *Iedere nederlander moet vanaf mei 1941 een persoonsbewijs bij zich dragen. De registratie in Amsterdam.*
138 *Burgemeesters krijgen een bijscholing in de nazi ideologie.*

136

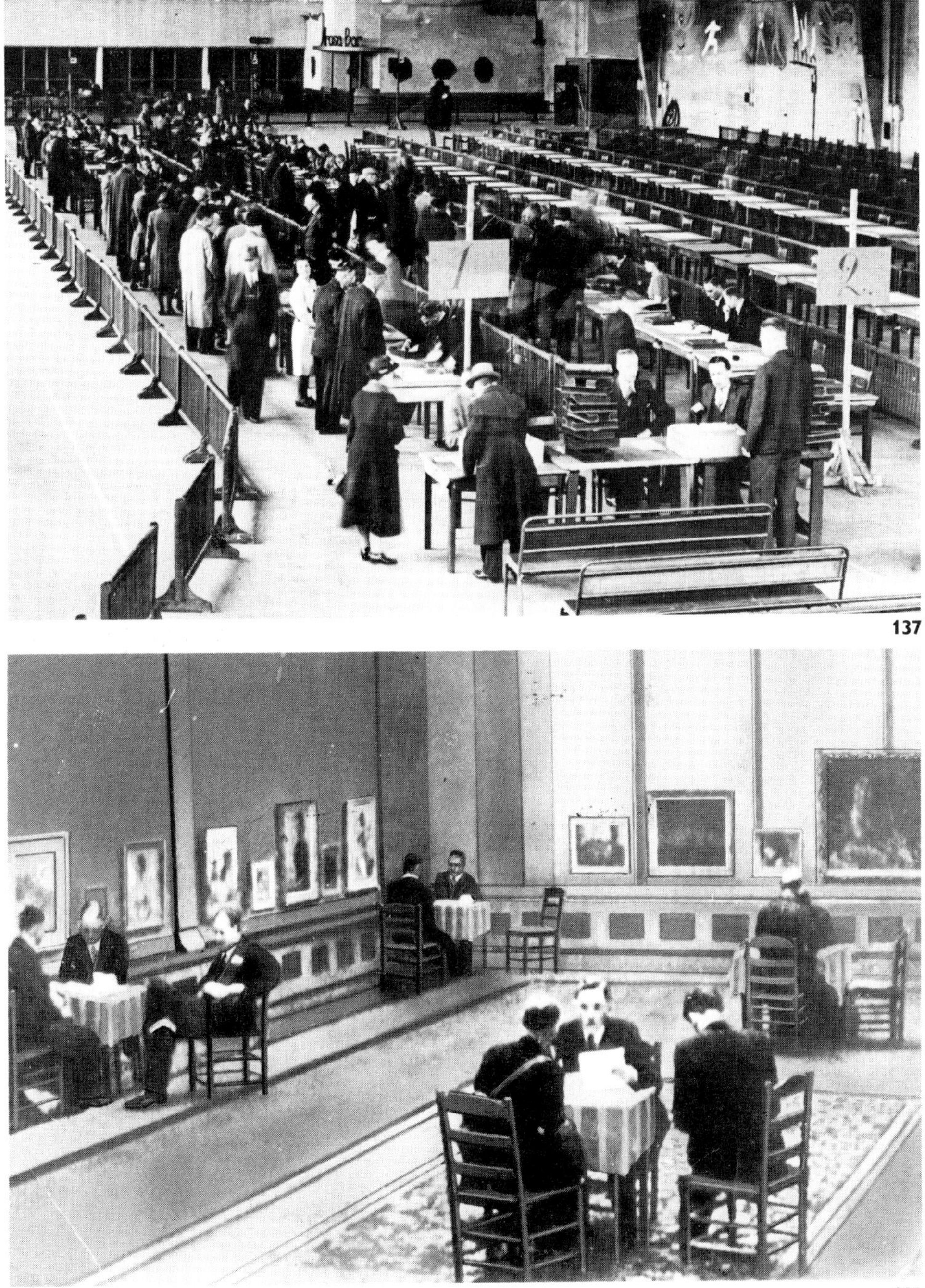

137

138

32 THE FIRST RAZZIA (ROUNDUP)

That the Germans mean business becomes clear in February 1941. The W.A., the paramilitary arm of the NSB, repeatedly enters the Jewish neighborhood of Amsterdam, displaying aggressive and brutal behavior.
Markets on the Waterloo Square and at Amstelveld are raided. The inhabitants of the Jewish neighborhood organize groups to defend their property. Heavy fighting ensues. When a W.A. man dies, the Germans retaliate. On February 22 the Jewish neighborhood is sealed off and 400 Jewish men and boys are grabbed off the streets and from houses and coffee shops, beaten and taken away. No one knows where to.

32 DE EERSTE RAZZIA

In februari 1941 wordt duidelijk, dat het de Duitsers ernst is. De WA,Weer-afdeling van de NSB, trekt steeds vaker de Amsterdamse jodenbuurt in en wordt brutaler en agressiever. Ze overvalt verschillende keren de markten op het Waterlooplein en het Amstelveld. De bewoners van de joodse wijk vormen groepen ter bescherming van hun eigendommen. Er vinden enkele malen hevige gevechten plaats in de jodenbuurt. Als daarbij een WA-er aan zijn verwondingen overlijdt, grijpen de Duitsers keihard in. Ze zetten op 22 februari de jodenwijk af, en slaan ruim 400 joodse mannen en jongens van de straat af, uit huizen en café's. Ze worden afgevoerd. Waarheen? Dat weet nog niemand.

139, 140 *The razzia on Jonas Daniël Meyer Square. February 22, 1941.*

139, 140 *De razzia op het Jonas Daniël Meijerplein, 22 februari 1941.*

140

33 THE FEBRUARY STRIKE

To protest against this *razzia*, a general strike is organized immediately, primarily by the Communist Party. In and around Amsterdam, thousands join in a two-day strike, making it the most influential act of resistance during the war. The Germans retaliate with force. German troops are sent in to restore order. Shots are fired. People are arrested. For fear of further reprisal, the strike is ended on February 27.

33 DE FEBRUARISTAKING

Verzetsgroepen, met name communistische, roepen op tot een algemene staking uit protest tegen de razzia. Hieraan wordt massaal gehoor gegeven: in en om Amsterdam leggen tienduizenden op 25 en 26 februari het werk neer. De Februaristaking is de verzetsdaad met het grootste aantal deelnemers.
De Duitsers slaan terug: Duitse troepen worden naar Amsterdam gestuurd om de orde te herstellen. Er wordt met scherp geschoten, verschillende mensen worden opgepakt. Uit angst voor verdere maatregelen gaat men op 27 februari weer aan het werk.

Wij ontvingen heden het droeve bericht, dat onze geliefde Zoon, Broeder en Kleinzoon

ARNOLD HEILBUT,

in den leeftijd van 18 jaar, in Duitschland is overleden.

Amsterdam, 2 Juli 1941.
Z. Amstellaan 89.

H. M. HEILBUT.
F. HEILBUT—CARO
en familie.

Heden ontvingen wij bericht, dat in Duitschland op 25 Juni is overleden onze innig geliefde Zoon, Broeder en Zwager

AB. LOPES DE LEAÕ LAGUNA,

in den leeftijd van 24 jaar.
Namens de familie:

B. LOPES DE LEAÕ LAGUNA.

Verzoeke geen bezoek.
Smaragdstraat 25 I Z.

Met diep leedwezen geven wij kennis, dat onze innig geliefde eenige Zoon

PAUL JACOBUS LEO,

in den ouderdom van 27 jaar, 25 Juni in Duitschland is overleden.

I. HEIMANS JR.
J. B. HEIMANS—VAN GELDER.

Amsterdam, 1 Juli 1941.
Watteaustraat 5.

Liever geen rouwbeklag.

142

141

141 *Streetcar drivers on strike on Sarphati Street.*
142 *Several months after the razzia relatives of the arrested Jews receive death notices of their loved ones.*

141 *Stakende trambestuurders in de Sarphatistraat.*
142 *Enkele maanden na de razzia komen de doodsberichten binnen.*

34,35 *COLLABORATION*

34,35 *COLLABORATIE, DE 'FOUTE' SECTOR*

The Dutch National Socialist organizations, of which the NSB is the largest, cooperate with the Germans. Even after the *razzia* in February they organize mass meetings to demonstrate their anti-Semitic and pro-German attitudes. There is also collaboration based on the self-interests of people who hope to profit from the German occupation in Holland. This ranges from selling cakes to the German Army to building military installations.

De nationaal-socialistische organisaties, waarvan de NSB de grootste is, werken met de bezetters samen. Ze organiseren – ook na de razzia's – massabijeenkomsten die in het teken staan van fascistische propaganda en antisemitisme. Er is daarnaast collaboratie uit louter eigen belang: men hoopt er financieel beter van te worden. Dit kan variëren van het leveren van taarten aan de Wehrmacht tot het bouwen van bunkers.

143 *Mussert (center) and the German military leader Seyss Inquart inspect the German troops at the Binnenhof in The Hague.*
144 *NSB mass meeting on Museum Square, Amsterdam. June 27, 1941. Mussert: 'The German people can count on us as their most loyal guardian.'*
145 *1941: The windows of the New Israelitic Weekly are smashed.*

143 *Mussert (midden) en Seyss-Inquart (rechts, rijkscommissaris) inspecteren de Duitse troepen op het Binnenhof, Den Haag.*
144 *27 Juni 1941, massabijeenkomst van de NSB in Amsterdam (Museumplein). Mussert: 'Het Duitse volk kan op ons rekenen als op zijn trouwste hoeder'.*
145 *1941 – De ruiten van het Nieuw Israëlitisch Weekblad zijn ingegood.*

MIT ADOLF HITLER IN EIN NEUES EUROPA!
Nieuw
Israelietisch Weekblad
DRUKKERY

144

143

145

146 *The National Youth Storm is the Dutch counterpart of the German Hitler Youth. In spite of all the money spent to create and publish the propaganda, the National Youth Storm does not become a sizable organization (12,000 members).*
147 *Dutch farmers are offered the opportunity to settle in Poland and parts of Russia. About 1,100 farmers decide to go. However, most of them return disappointed, and some are killed by Russian partisans.*
148 *Dutch Nazi propaganda.*

146 *De Nationale Jeugdstorm is de Nederlandse variant van de Hitlerjugend. Ondanks vele propaganda wordt het geen massale organisatie (12.000 leden).*
147 *Nederlandse boeren krijgen van de Duitsers de gelegenheid zich in het Oosten (Polen, delen van Rusland) te vestigen. Hiervan maken 1100 boeren gebruik. Een groot succes wordt het niet. Velen keren teleurgesteld terug, en de russische partizanen maken onder hen veel slachtoffers.*
148 *Nederlandse nazi-propaganda.*

146

147

DE LEIDER VAN HET
NEDERLANDSCHE VOLK
GEZINSHULP
NEDERLANDSCHE
VOLKSDIENST
STRIJD
OM AMSTERDAM
ONS NATIONALISME
UW REDDING
'T GEZAMENLIJK WERK OVERWON DE WATERNACHT
'T GEZAMENLIJK OFFER STERKT DE VOLKSKRACHT
WINTERHULP
NEDERLAND
COLLECTE 4-6 MAART
Wij allen
WERKEN
IN DE GRENSGOUW
KEULEN - AKEN
LIBERATORS
AUFRUF
OPROEP
MAX
BLOKZIJL
SPREEKT
TOT DE
JEUGD
IN HET VENDELKWARTIER NOORD
Laanweg 26, Amsterdam
BEKANNTMACHUNG
BEKENDMAKING

36 COLLABORATION: SS VOLUNTEERS

36 COLLABORATIE/SS-VRIJWILLIGERS

The Germans, using deep-rooted anti-communistic feelings, solicit volunteers for the war in Eastern Europe. No less than 30,000 Dutch men and boys sign up for the Waffen SS, and 17,000 are admitted beginning in April 1941. Another 15,000 volunteer for military auxiliary organizations and police groups.

De bezetters proberen vrijwilligers te vinden voor de oorlog in het oosten. Er wordt vooral een beroep gedaan op anti-communistische sentimenten. Niet minder dan 30.000 Nederlandse mannen en jongens melden zich vanaf juni 1941 voor de Waffen SS, waarvan er 17.000 worden goedgekeurd. Ongeveer 15.000 mannen melden zich vrijwillig voor militaire hulporganisaties en politionele groepen zoals de Landstorm en de Landwacht. Wie lid van de Nederlandse SS wil worden moet wel 'raszuiver' zijn. Dit wordt vastgesteld na een uitgebreid erfelijkheidsonderzoek.

149

149 *Volunteers departing for the Eastern Front in Russia. Inspection by General Seyffardt, The Hague. August 7, 1941.*
150 *Members of the NSB women's organization knit clothes for the volunteers at the Eastern Front.*

149 *Vertrek van SS-vrijwilligers naar Rusland. Inspectie door Generaal Seyffardt, 7 augustus 1941.*
150 *Leden van de NSB-vrouwenorganisatie breien voor de Oostfront-vrijwilligers.*

151 *Volunteers departing for the Eastern Front in Russia. The Hague. July 1941.*
152 *Mussert visiting Dutch SS soldiers in Russia.*
153 *Dutch SS soldier at the front.*

151 *Vertrek van SS-vrijwilligers naar het Oostfront, juli 1941.*
152 *Mussert bezoekt Nederlandse SS-ers aan het front.*
153 *Nederlandse SS'er aan het front.*

151

150

152

153

37 LABOR SERVICE

Germany lacks trained labor, especially after millions of Germans are drafted for the military service. During the occupation unemployed Dutchmen are forced to work in Germany. In May 1941 the number reaches 165,000.
In April 1942 a forced labor service is introduced for students and those who want to join the civil service. Many try to avoid the service. In the last years of the occupation the Germans seize men and boys at random from the streets and send them to Germany to work.

37 DE ARBEIDSDIENST

Duitsland heeft een tekort aan geschoolde arbeidskrachten, vooral wanneer miljoenen Duitsers worden opgeroepen voor militaire dienst. Tijdens de bezetting worden Nederlandse werklozen in Duitsland gedwongen te werk gesteld. In mei 1941 zijn dat er al 165.000. In april 1942 voeren de Duitsers een 'Arbeidsdienstplicht' in voor studenten en diegenen die een baan bij de overheid willen. Velen proberen zich hieraan te onttrekken. In de laatste jaren van de oorlog houden de Duitsers regelmatig razzia's en pakken mannen en jongens op van de straat om hen in Duitsland te werk te stellen.

154

154 *'Workers in the metal industry! Wouldn't you like to work here? That can be arranged!'*
155 *Recruitment agency which arranges for the Dutch to work in Germany.*

154 *Propaganda voor werk in Duitsland.*
155 *Wervingsbureau voor werk in Duitsland ('in het buitenland')*

156 *Propaganda photos imitating the German example of the Labor Service.*
157 *Dutch workers in Germany. Photos are intended for publication in Holland.*

156 *Propagandafoto naar Duits model voor de Arbeidsdienst.*
157 *Nederlandse arbeiders in Duitsland. Foto bedoeld voor het thuisfront.*

156

157

155

38, 39 ANTI-JEWISH MEASURES

In January 1941 the Germans force prominent Jews to form a Jewish council, which has to represent all Jews. They agree to do so in hopes of avoiding worse. The Germans use the Jewish Council as a means to execute their orders. Step by step the rights of Jews are limited, and the Jewish community is gradually isolated.

38, 39 ANTI-JOODSE MAATREGELEN

De Duitsers eisen op 12 februari 1941 van vooraanstaande joden dat zij een 'Joodse Raad' vormen, die alle joden moet vertegenwoordigen. Deze eis wordt ingewilligd. De Joodse Raad neemt die taak op zich om, naar hun idee 'erger te verkomen'. De bezetters gebruiken de Joodse Raad als een instrument om hun maatregelen door te voeren. De rechten van de joden worden stap voor stap beperkt, en de joodse gemeenschap komt in een steeds groter isolement.

158 *A grocery store: 'Jews not allowed.'*
159 *By February 1943 most of the shops in the Jewish ghetto are already closed.*

158 *Een kruidenier: 'Voor joden verboden'*
159 *Februari 1943. In het joodse ghetto zijn de meeste winkels al dichtgetimmerd.*

158

159

160

160 *Identification cards of Jews are stamped with a 'J.' Summer 1941.*
161 *A swimming pool: 'Jews not allowed.'*

160 *In de zomer van 1941 krijgen joden een 'J'-stempel op hun persoonsbewijs, nadat de bevolkingsregisters al de kaarten van joden gemerkt hebben.*
161 *Een zwembad: 'Voor joden verboden'.*

161

163

164

162

162 The opposite of the 'Jews not allowed' sign: 'Jews only.' Waterloo Square Market, Amsterdam.
163 Jewish artists fired from their jobs advertise their availability to give concerts or performances. These can be given in Jewish households only.
164 A wedding.
165 In a synagogue.

162 Tegenover het 'verboden voor joden' staat het 'Alleen toegang voor joden'. Waterlooplein.
163 Joodse artiesten die werkloos geworden zijn bieden zich aan voor voorstellingen aan huis. Alléén bij joden.
164 Een trouwpartij.
165 In de synagoge.

165

40 RESISTANCE

Although most Dutchmen are anti-German or become that way once they are confronted with shortages and terror, this does not imply they automatically choose to join the Resistance. Many factors immobilize them: fear, a fundamental rejection of civil disobedience, and religious principles based on the need to obey any government in power. But mostly the (false) choices between fascism and communism immobilize the Dutch. For those who do resist, political and religious differences hamper the coordination of the Resistance, especially in the first year of the occupation. There is no preparation for the occupation, let alone a tradition of resistance among the Dutch. The first acts of resistance are mostly symbolic. In 1942 and 1943 a more efficient resistance movement develops.

40 VERZET

Hoewel verreweg de meeste mensen anti-Duits zijn, of dat geleidelijk door de schaarste en terreur worden, houdt dat nog niet automatisch een keuze voor het verzet in. Verschillende factoren weerhouden velen daarvan: angst, een fundamentele afkeer van burgerlijke ongehoorzaamheid, religieuze overwegingen inzake de nu eenmaal 'over ons gestelde' overheid, en vooral ook de door de nazi's geraffineerd gepresenteerde maar valse keuze tussen òf fascisme òf communisme (bolsjewisme).
Bij hen die wèl in verzet komen bemoeilijken zeker in het begin politieke en levensbeschouwelijke verschillen de samenwerking. Er was geen verzetstraditie en men was nauwelijks voorbereid op de bezetting. Aanvankelijk zijn de verzetsdaden veelal spontaan en symbolisch. Later, in de loop van 1942 en 1943, is er sprake van duidelijker organisatie.

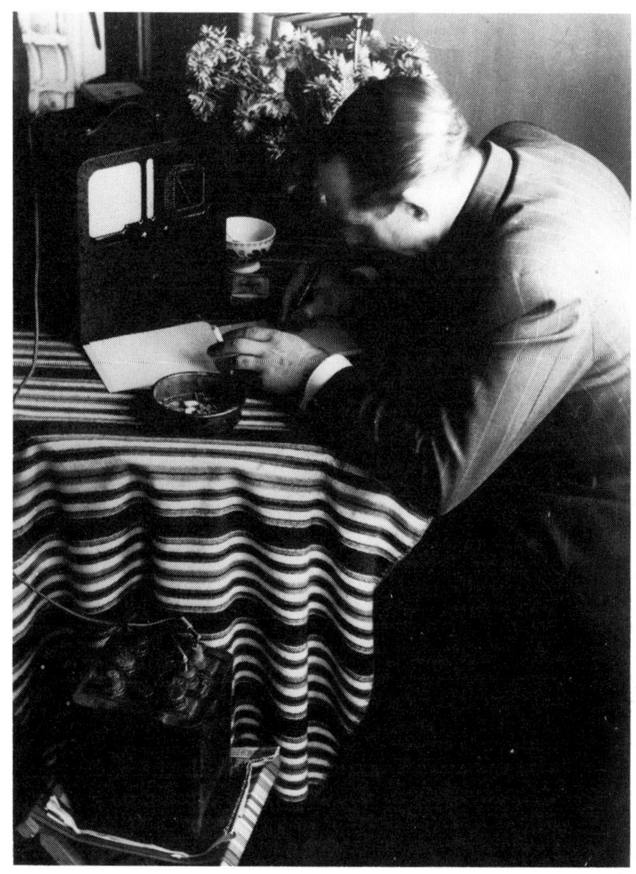

166

167

168

166, 167, 168 *An important activity of the Dutch resistance is the underground press. People listen to the Allied Radio stations, and the news is spread by underground stenciled or printed bulletins. About 30,000 people are involved in this activity.*

166, 167, 168 *Een belangrijke verzetsactiviteit is de ondergrondse pers. Men luistert naar buitenlandse radiostations en verspreidt de berichten via illegale bladen. Zo'n 30.000 mensen zijn hierbij betrokken.*

41, 42 THE BEGINNING OF THE DEPORTATIONS: GOING INTO HIDING, BETRAYAL AND RESISTANCE

Starting in January 1942 unemployed Jewish men are called upon to report for work in eastern Holland. Next, not only men, but entire families are summoned to go to Westerbork, a camp that serves as a collection point. From there they are transported to what were called labor camps.
The Jewish Council is pressured to deliver the required numbers for transportation to Westerbork. When the quotas are not met, Jews are arrested at random. Thousands of Jews decide not to go and try to hide.

41, 42 HET BEGIN VAN DE DEPORTATIES: ONDERDUIKEN, VERRAAD EN VERZET

Vanaf januari 1942 krijgen werkloze joodse mannen een oproep zich te melden in het kader van 'werkverruiming' in Drente.
Vervolgens krijgen niet alleen mannen, maar hele gezinnen een oproep voor het kamp Westerbork.
Van daar vertrekken de treinen naar wat 'werkkampen in het Oosten' genoemd wordt.
De Joodse Raad wordt onder druk gezet ervoor te zorgen, dat steeds het vastgestelde aantal joden naar Westerbork vertrekt. Zo niet, dan volgen willekeurige razzia's. Duizenden joden besluiten niet te gaan, en proberen onder te duiken. De gezamenlijke Nederlandse kerken protesteren tegen de deportaties.

__169__ Where to hide? Only a few Jews can find a hiding place. Here, Jewish children hide at the farm of the Boogaard family.
__170__ During the entire month of August 1942 the razzias continue.

__169__ Onderduiken! ....maar waar? Lang niet iedereen vindt een onderduikadres. Joodse kinderen ondergedoken op het platteland, bij de familie Boogaard.
__170__ De gehele maand augustus 1942 vinden razzia's plaats.

169

170

171 *Falsification of identity papers, 1942.*
172 *The files from the registration office of the town of Jisp are hidden.*
173 *The registration office, where vital statistics of the population are kept, is demolished by a resistance group. Amsterdam.*

171 *Het vervalsen van een persoonsbewijs, 1942.*
172 *Het bevolkingsregister van Jisp duikt onder.*
173 *Een verzetsgroep blaast het bevolkingsregister van Amsterdam op.*

171

172

173

THE FRANK FAMILY *GOING INTO HIDING*

During 1941 the number of anti-Jewish measures increases, and the Franks start preparing to go into hiding. Thanks to the cooperation of his staff (Mr. Kraler, Mr. Koophuis, Miep Gies and Elli Vossen), Otto Frank is able to secretly prepare a hiding place for his family and the van Daans (Mr. van Daan works with Otto Frank's company.)
On July 5, 1942, Margot Frank receives the notorious call to report to a 'labor camp.' The next day the Frank family moves into the 'Secret Annex.' One week later Mr. and Mrs. van Daan and their son Peter join them, followed by Mr. Dussel.

DE FAMILIE FRANK *ONDERDUIKEN*

In de loop van 1941 neemt het aantal anti-joodse verordeningen toe, en de familie Frank begint zich voor te bereiden op onderduiken. Dank zij de medewerking van Kraler, Koophuis, Miep Gies en Elli Vossen slaagt Otto Frank erin om in het geheim een schuilplaats in gereedheid te brengen voor zijn gezin en de familie van Daan (de heer van Daan is betrokken bij het bedrijf van de heer Frank).
Op 5 juli 1942 krijgt Margot Frank de beruchte oproep om zich te melden voor 'tewerkstelling'. Meteen de dag daarna duikt de familie Frank onder. Een week later komen de heer en mevrouw van Daan en hun zoon Peter erbij, en nog later de heer Dussel. De gebeurtenissen uit de jaren die volgen zijn door Anne Frank in haar dagboek opgeschreven. Zij had dit dagboek gekregen van haar vader voor haar 13e verjaardag, op 12 juni 1942.

175

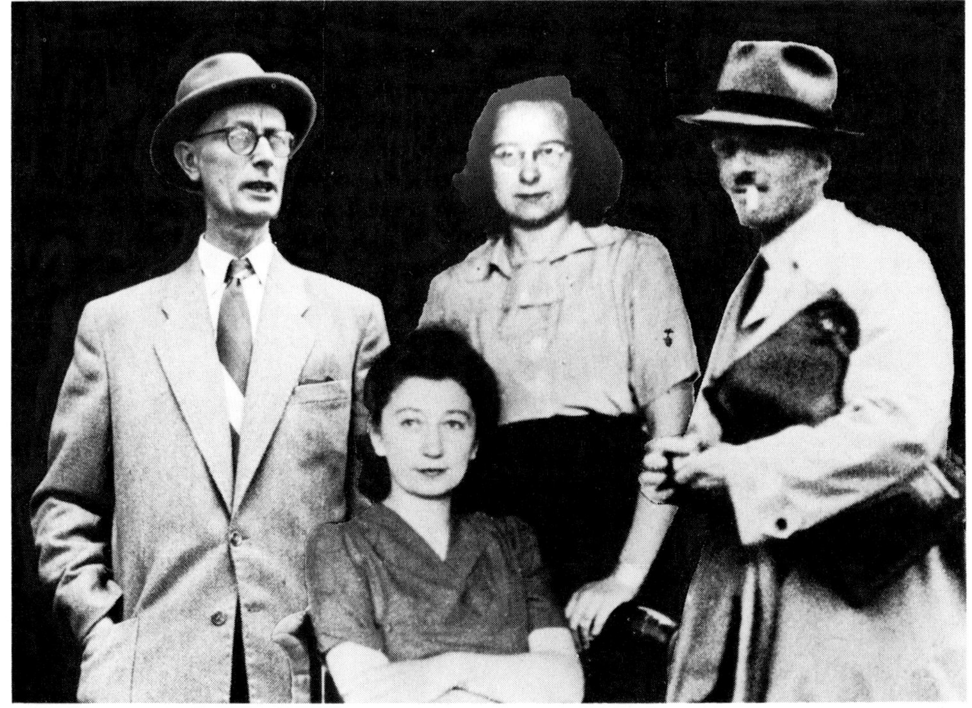

176

174 *The Annex, the hiding place.*
175 *The people in hiding: Otto, Edith, Anne and Margot Frank. Mr. and Mrs. van Daan, Peter van Daan and Mr. Dussel.*
176 *The helpers of the people in hiding, from left to right: Mr. Koophuis, Miep Gies, Elli Vossen and Mr. Kraler.*

174 *Het Achterhuis.*
175 *De onderduikers: Otto, Edith, Anne en Margot Frank. Onderste rij; Dhr. en Mevr. Van Daan, Peter van Daan en Dhr. Dussel.*
176 *De helpers van onderduikers. V.l.n.r.: Dhr. Koophuis, Miep Gies, Elli Vossen en dhr. Kraler.*

177 *Anne Frank's room.* Our little room looked very bare at first with nothing on the walls; but thanks to Daddy who had brought my film star collection and picture postcards on beforehand, and with the aid of paste pot and brush, I have transformed the walls into one gigantic picture. This makes it look much more cheerful. *(Anne writing in her diary on July 11, 1942.)*
178 The entrance to our hiding place has now been properly concealed. Mr. Kraler thought it would be better to put a cupboard in front of our door (because a lot of houses are being searched for hidden bicycles), but of course it had to be a movable cupboard that can open like a door. Mr. Vossen made the whole thing. *(Anne writing in her diary on August 21, 1944.) The picture shows Mr. Koophuis next to the bookcase.*
179 *The attic of the Annex, where Anne wrote her diary most of the time.*

177 *Anne Frank's kamertje.* 'Ons kamertje was met die strakke muren tot nu toe erg kaal; dankzij mijn vader, die mijn hele filmsterrenverzameling en mijn prentbriefkaarten van tevoren al meegenomen had, heb ik, na met een lijmpot en kwart de hele muur bestreken te hebben, van de kamer één plaatje gemaakt. Daardoor ziet het er veel vrolijker uit.' *(Anne in haar dagboek, 11 juli 1942).*
178 'Mijnheer Kraler vond het namelijk beter om voor onze toegangsdeur een kast te plaatsen (omdat er veel huiszoekingen naar verstopte fietsen gehouden worden), maar dan natuurlijk een kast die draaibaar is en die dan als een deur opengaat. Mijnheer Vossen heeft het geval getimmerd.' *(Anne in haar dagboek, 21 augustus 1942). Op de foto: Dhr. Koophuis bij de boekenkast.*
179 *De zolder van het Achterhuis, waar Anne het grootste deel van haar dagboek schrijft.*

177

178

B

180

181

182

180 *View of the Prinsengracht, Westerkerk and the Annex.* Daddy, Mummy, and Margot can't get used to the sound of the Westertoren clock yet, which tells us the time every quarter of an hour. I can. I loved it from the start, and especially in the night it's like a faithful friend. *(Anne writing in her diary on July 11, 1942.)*
181 *Page from Anne's first diary.*
182 Believe me, if you have been shut up for a year and a half, it can get too much for you some days. In spite of all justice and thankfulness, you can't crush your feelings. Cycling, dancing, whistling, looking out into the world, feeling young, to know that I'm free – that's what I long for; still, I mustn't show it, because I sometimes think if all eight of us began to pity ourselves, or went about with discontented faces, where would it lead us? *(Anne writing in her diary, on December 24, 1943.)*

180 *Luchtopname van de Prinsengracht, de Westerkerk en het Achterhuis.* 'Vader, moeder en Margot kunnen nog steeds niet aan het geluid van de Westertorenklok wennen, die om het kwartier zegt hoe laat het is. Ik wel, ik vond het dadelijk zo fijn en vooral 's nachts is het zoiets vertrouwds.' *(Anne in haar dagboek, 11 juli 1942).*
181 *Pagina uit Anne's eerste dagboek.*
182 'Geloof me, als je anderhalf jaar opgesloten zit, dan kan je het op sommige dagen eens te veel worden. Alle rechtvaardigheid of dankbaarheid ten spijt; gevoelens laten zich niet verdringen. Fietsen, dansen, fluiten, de wereld inkijken, me jong voelen, weten dat ik vrij ben, daar snak ik naar en toch mag ik het niet laten merken, want denk eens aan, als we alle acht ons gingen beklagen of ontevreden gezicht zetten, waar moet dat naar toe?' *(Anne in haar Dagboek, 24 december 1943).*

43,44 TIGHTENING OF THE REPRESSION AND RESISTANCE

In the spring of 1943 the German military loses ground. Allied advances in North Africa, the Soviet counterattack and the fall of Mussolini stimulate the Resistance. But simultaneously repression for the remaining Dutchmen is increased.
In September 1944 among the non-Jewish population 250,000 are hiding; 12,500 are prisoners of war; 7,000, political prisoners; and 300,000, forced laborers. Aside from those groups, about 900,000 people are forced to leave their homes and move. The total population in Holland then is about nine million. Starting in the summer of 1944, many resistance fighters are summarily shot. Hundreds of others are executed in retaliation for acts of resistance.

43,44 VERSCHERPING VAN ONDERDRUKKING EN VERZET

In het voorjaar van 1943 keren de Duitse kansen in de oorlog. De geallieerde opmars in Noord-Afrika, de Russische tegenaanval en de val van Mussolini stimuleren het verzet. Tegelijkertijd verscherpt de bezetter de onderdrukking van de overgebleven bevolking.
In september 1944 zijn er onder de niet-joodse bevolking van ongeveer 9 miljoen mensen circa 250.000 onderduikers, 12.500 krijgsgevangenen, 7.000 politieke gevangen en 300.000 dwangarbeiders. Daarnaast moeten circa 900.000 mensen hun huizen verlaten en naar elders trekken.
Vanaf de zomer van 1944 worden vele verzetsmensen standrechtelijk geëxecuteerd. Honderden anderen worden terechtgesteld als represailles voor verzetsdaden en aanslagen.

183

184

185

183 *The liquidation of a traitor. Resistance groups have emotional discussions whether one has the right to execute traitors.*
184 *In 1943 and 1944 thousands of men are sent to Germany to work.*
185 *Many men and young adults go into hiding, mostly at farms to escape being forced to work in Germany.*

183 *Liquidatie. Verzetsgroepen hebben vaak problemen over de vraag of bijv. verraders geliquideerd mogen worden.*
184 *In 1943 en 1944 worden duizenden mannen opgehaald voor werk in Duitsland,.*
185 *Veel mannen en jongens duiken onder om te ontsnappen aan de Duitse arbeidsinzet.*

186 *The marriage party of Ger de Beer and Ina Verkuyl in 1943. Both families are active in the resistance and many of the guests, as well. Father Verkuyl, his son and Ger de Beer are executed in 1944.*
187 *Executed resistance fighters.*
188 *In September 1944, the Dutch Railway workers go on strike. German trains are attacked by sabotage groups.*

186 *Het huwelijk van Ger de Beer en Ina Verkuijl, in 1943. Beide families zitten in het verzet, veel gasten eveneens. Vader Verkuijl, diens zoon en de bruidegom worden in 1944 gefusilleerd.*
187 *Gefusilleerde verzetsmensen.*
188 *In september 1944 gaat het Nederlandse Spoorwegpersoneel definitief in staking. Om de Duitse treinen te stoppen pleegt men aanslagen en sabotage.*

186

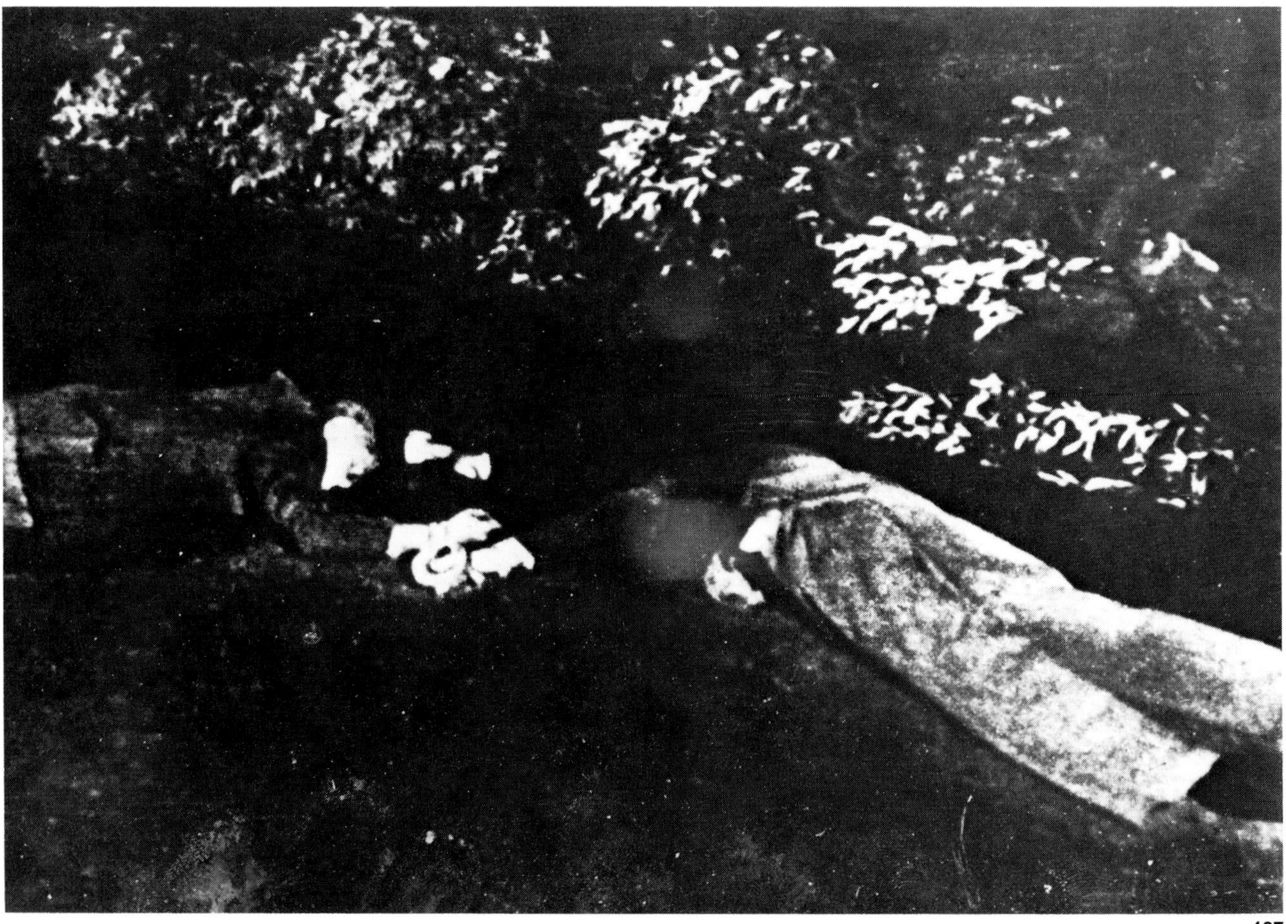

187

188

45 DEPORTATION OF THE JEWS

Most *razzias* and transportation activity to the camps occur at night.
In Amsterdam most Jews are first brought to the Jewish Theater and then on to Westerbork.
The majority stay there several weeks, some more than a year. In 1943 one transport follows another until the camp is full and life becomes unbearable. Westerbork, however, is not a final destination. Rather, it is a collection point to transport the Jews to the extermination camps.

45 DEPORTATIES, VERTREK NAAR WESTERBORK

De meeste razzia's en transporten vinden 's nachts plaats. In Amsterdam worden de joden overgebracht naar de Joodsche (vroeger: Hollandsche) Schouwburg en van daar naar Westerbork. Daar blijft men meestal enkele weken, maar sommigen ook langer dan een jaar. In de loop van 1943 volgen de transporten elkaar steeds sneller op, zodat het kamp dan overvol zit. Het blijft echter een doorgangskamp: telkens weer vertrekken de treinen naar het oosten.

189

190

191

189 *Waiting for the departure to Westerbork, Amsterdam. May 26 1943. The photographs were taken for an SS magazine.*
190 *Departure from Amsterdam's Muiderpoort Station to Westerbork.*
191 *Westerbork, the Dutch transit camp.)*

189 *Wachten op vertrek van Amsterdam naar Westerbork, Polderweg, 26 Mei 1943. De foto's zijn gemaakt in opdracht van een SS-tijdschrift.*
190 *Vertrek uit Amsterdam (Muiderpoortstation) naar Westerbork.*
191 *In het doorgangskamp Westerbork.*

46 D-DAY AND THE LIBERATION OF SOUTHERN HOLLAND

46 D-DAY, DOLLE DINSDAG EN DE BEVRIJDING VAN ZUID-NEDERLAND

In 1944 the Allied Forces gain momentum in Europe. The Germans retreat from Eastern Europe. The liberation of Western Europe begins with D-Day. In one day, June 6, 1944, 156,000 Allied soldiers land in northern France.
Following the successful invasion, rumors about the liberation begin. In Holland on September 5, 1944, known as 'Mad Tuesday,' most people believe the liberation is near. Southern Holland is, in reality, liberated.

In de loop van 1944 lukt het de geallieerden in Europa door te breken. Uit Oost-Europa trekken de Duitsers zich versneld terug, en in West-Europa begint de bevrijding met D-Day. In één dag, 6 juni 1944, landen 156.000 geallieerde militairen in Noord-Frankrijk. Wanneer deze doorbraak aanvankelijk succesvol verloopt, komt een geruchtenstroom over de bevrijding op gang. Zo ontstaat in Nederland de zgn. Dolle Dinsdag, op 5 september: mede door optimistische Engelse radioberichten geloven tallozen dat de oorlog bijna voorbij is. Voor het zuiden van Nederland komt dat najaar inderdaad de bevrijding.

192

193

194

195

192 *D-Day (Decision Day): American and English troops land in Normandy, France. June 6, 1944.*
193 *September 5, 1944, known as 'Wild Tuesday.' NSB members hurry to leave Holland. The Hague Railway station.*
194 *'Wild Tuesday': The village of Rijswijk waits in vain for the Allied troops to come.*
195 *Allied soldiers hand out chewing gum.*

192 *D-Day (Decision Day): Landing van de Geallieerden in Noord-Frankrijk, 6 juni 1944.*
193 *'Dolle Dinsdag': 5 september 1944. Vluchtende NSB'ers op het station in Den Haag.*
194 *'Dolle Dinsdag': De Rijswijkse bevolking wacht tevergeefs op de geallieerden.*
195 *Geallieerde soldaten delen kauwgum uit in Limburg.*

47 WINTER OF HUNGER

The Dutch Railway halts service in September 1944 because of a railway strike ordered by the Dutch government in exile in London. As a result, the Germans retaliate by forbidding food to be brought to the cities. An enormous shortage results, worsened by food confiscated by the Germans. When coal and other fuel are not delivered to the cities, the situation becomes critical. Everything that can burn is used for heat. Everything edible is eaten, even tulip bulbs. Thousands of children are sent to the countryside to be fed. About 22,000 people die of hunger. Tens of thousands are seriously ill. Meanwhile, the Germans take anything of value to Germany: bicycles, machines, factory equipment, streetcars and cattle, for example.

47 DE HONGERWINTER

In september 1944 gaan na een oproep van de Nederlandse regering in Londen, de Nederlandse Spoorwegen in staking. Als straf verbieden de Duitsers de aanvoer van voedsel naar de grote steden. Grote schaarste is het gevolg, die later nog toeneemt doordat de Duitsers voedsel weghalen. De situatie in de steden wordt kritiek wanneer ook geen brandstof wordt aangevoerd. Alles wat kan branden sloopt men, alles wat eetbaar is wordt gegeten. Zelfs tulpebollen. Duizenden kinderen brengt men op het platteland onder.
Ongeveer 22.000 mensen sterven van honger. Vele tienduizenden lijden aan hongerziekten. Intussen haalt de bezetter alles wat waardevol is naar Duitsland: machines, trams, vee, fietsen, enzovoorts.

197

198

199

196 *Children remove an old door for firewood.*
197 *People even burn wood from their own houses.*
198 *Hungry children.*
199 *In the countryside thousands of people try to exchange goods for food.*

196 *Kinderen halen sloophout.*
197 *Zelfs het hout uit de eigen woning wordt gesloopt.*
198 *Hongerende kinderen.*
199 *Duizenden trekken naar het platteland om te proberen goederen te ruilen voor eten.*

48,49 ENDLÖSUNG ('THE FINAL SOLUTION')

When Germany marches through Eastern Europe, the army is followed by SS special units (*Einsatz Gruppen*) that start the mass execution of Jews. More than one million Jews are shot. In 1941 the decision is made 'to make Europe clean of Jews.' During the Wannsee Conference in January 1942 plans are made to annihilate the 11 million European Jews. The plans become known as the *Endlösung*, the 'final solution of the Jewish question.' Destruction and labor camps are built. A large number of the deported Jews – mostly the elderly, mothers and children – are gassed immediately upon arrival. The others must work a couple of months until they die of exhaustion. In this way nearly six million Jews are killed. In addition to the Jews, countless others die in the concentration camps: political opponents, homosexuals, Jehovah's Witnesses, 'anti-social elements,' Russian prisoners of war and at least 220,000 gypsies.

48,49 DE ENDLÖSUNG

Als Duitsland Oost-Europa binnenvalt volgen achter de legers de zgn. 'Einsatzgruppen'. Dit zijn groepen SS-ers en anderen die beginnen met de uitroeiing van de joden. Bij massa-executies schieten ze meer dan een miljoen joden dood. De nazi's besluiten midden 1941 Europa 'jodenvrij' te maken. Tijdens de 'Wannsee-conferentie' in januari 1942 maakt een selecte nazi-topgroep plannen voor de vernietiging van de elf miljoen joden in Europa. Deze plannen zijn bekend geworden als de 'Endlösung': de 'definitieve oplossing van het jodenvraagstuk'. Men richt vernietigingskampen in. Een groot deel van de gedeporteerde joden, zoals ouderen en moeders met kinderen, wordt direct bij aankomst vergast. Een ander deel moet nog een aantal maanden werken tot zij sterven van uitputting of aan besmettelijke ziekten. Op deze wijze zijn bijna zes miljoen joden omgebracht. Naast de joden komen nog talloze anderen in concentratiekampen om het leven: politieke tegenstanders, homofielen, jehova's getuigen, 'a-socialen', Russische krijgsgevangenen. Tenminste 220.000 zigeuners zijn eveneens vermoord.

200

201

200 *Dutch Jews departing from Westerbork for Auschwitz.*
201 *Jews in Eastern Europe are rounded up by special command groups (Einsatzgruppen) and murdered.*

200 *Nederlandse joden vertrekken van Westerbork naar Auschwitz.*
201 *Joden in Oost-Europa worden door speciale commando's ('Einsatzgruppen') bijeengedreven en vermoord.*

202

202 *Upon arrival in Auschwitz Jews are divided into two groups: those who can still work and those who are to be exterminated immediately.*
203 *The IG Farben Co. operates on enormous manufacturing site near Auschwitz. The death toll among the forced labourers at this site is extremely high.*
204 *A gas chamber in Majdanek destruction camp.*
205 *The possessions of those who have been exterminated are sorted, and anything of valuable is salvaged i.e. locks of hair and gold-filled teeth.*

203

204

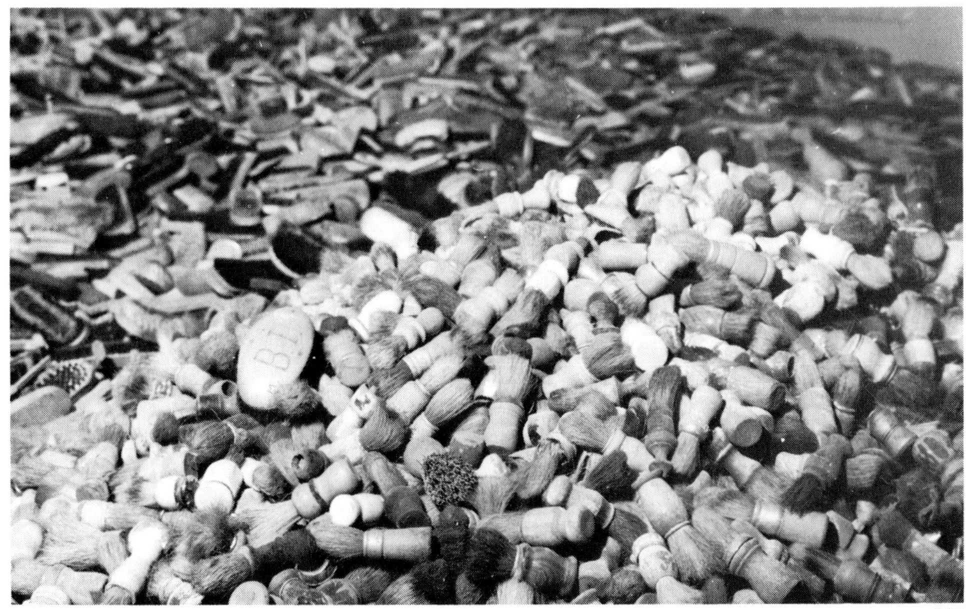

205

202 *Bij aankomst in Auschwitz scheidt men mensen die nog kunnen werken van diegenen die direct vermoord zullen worden.*
203 *Voor de Firma I. G. Farben wordt bij Auschwitz een fabriek aangelegd door gevangenen. De sterftecijfers zijn enorm.*
204 *Gaskamer van het vernietigingskamp Majdanek.*
205 *Wat van de vermoordden overblijft wordt gesorteerd, zelfs afgeknipt haar en gouden tanden worden verzameld.*

THE FRANK FAMILY *THE END*

On August 4, 1944, the German police make a raid on the 'Secret Annex.' All the occupants are arrested and sent to concentration camps.

DE FAMILIE FRANK *HET EINDE*

Op 4 augustus 1944 valt de 'Grüne Polizei' het Achterhuis binnen. Alle onderduikers worden gearresteerd en naar concentratiekampen vervoerd.

206

206 *The train from Westerbork to Auschwitz.*
207 *A list of deportees on the last train from Westerbork to Auschwitz contains the names of the Frank family.*
Mrs. Edith Frank-Holländer is killed by the hardships of Auschwitz. Mr. van Daan dies in the gaschamber. Peter van Daan is taken by the SS when the concentration camp was abandoned because of the approach of the Russians. He dies in Mauthausen. Mr. Dussel dies in the Neuengamme concentrationcamp. At the end of October Margot and Anne are transported back in Germany, to Bergen-Belsen. Both of them contract typhus. They die in March 1945. Mrs. van Daan also dies in Bergen-Belsen. Otto Frank is liberated by the Russian troops at Auschwitz.

206 *De trein van Westerbork naar Auschwitz*
207 *Transportlijst van de (laatste) trein vanuit Westerbork naar Auswitz, waarop de namen van de Familie Frank vermeld staan.*
Mevr. Edith Frank-Holländer is in Auschwitz van ontbering gestorven. De heer Van Daan is vergast. Peter is meegevoerd met de SS toen het kamp Auschwitz bij de nadering van de Russische troepen ontruimd werd. Hij sterft in Mauthausen. De heer Dussel is in Neuengamme gestorven. Eind oktober worden Margot en Anne teruggestuurd naar Duitsland, naar het kamp Bergen-Belsen. Zij krijgen beide typhus en sterven kort na elkaar in maart 1945. Ook mevrouw Van Daan sterft in Bergen-Belsen. Dhr. Otto Frank is in Auschwitz door de Russische troepen bevrijd.

JUDENTRANSPORT AUS DEN NIEDERLANDEN - LAGER WESTERBORK

Haeftlinge

Nr.	Name	Vorname	Geb.	Beruf
301.	Engers	Isidor	30.4. 93	Kaufmann
302	Engers	Leonard	15.6. 20	Lamdarbeiter
303	Franco	Manfred	1.5. 05	Verleger
304.	Frank	Arthur	22.8. 81	Kaufmann
305.	Frank	Isaac	29.11.87	Installateur
306.	Frank	Margot	16.2. 26	ohne
307.	Frank	Otto	12.5. 89	Kaufmann
308.	Frank-Hollaender	Edith	16.1. 00	ohne
309.	Frank	Anneliese	12.6. 29	ohne
310.	v.Franck	Sara	27.4. 02	Typistin
311.	Franken	Rozanna	16.5. 96	Landarbeiter
312.	Franken-Weyand	Johanna	24.12.96	Landbauer
313.	Franken	Hermann	12.5.34	ohne
314.	Franken	Louis	10.8. 17	Gaertner
315.	Franken	Rosalina	29.3. 27	Landbau
316.	Frankfort	Alex	14.11.19	Dr.i.d.Oekonomie
317.	Frankfort-Elsas	Regina	11.12.19	Apoth-.Ass.
318.	Frankfoort	Elias	22.10.98	Schneider
319.	Frankfort	Max	20.6. 21	Schneider
320.	Frankfort-Weijl	Hetty	29.3. 24	Naeherin
321.	Frankfort-Werkendam	Rosette	24.6.98	Schriftstellerin
322.	Frijda	Hermann	22.6. 87	Hochschullehrer
323.	Frenk	Henriette	28.4. 21	Typistin
324.	Frenk	Rosa	15.3.24	Haushalthilfe
325.	Friezer	Isaac	10.3. 20	Korrespondent
326.	Fruitman-Vlessche-drager	Fanny	24.1. 03	ohne
327.	Gans	Elie	24.10.03	Betriebleiter
328.	Gans-Koopman	Gesina	20.12.05	Maschinestrickerin
329.	Gans	Kalman	6.3. 79	Diamantarbeiter
330.	Gans	Klara	12.5. 13	Naeherin
331.	Gans	Paul	27.9. 08	Landbauer
332.	v.Gelder	Abraham	9.11.78	Metzger
333.	v.Gelder-de Jong	Reintje	22.10.81	ohne
334.	v.Gelder	Alexander	27.6. 03	Kaufmann

50 THE STARVING ENDS AS HOLLAND IS LIBERATED

In April 1945 the English are allowed to drop food over starving Holland, allowing many thousands to survive. The announcement is made over British radio.
A few weeks later the war is over. The remainder of Holland is liberated by the Allied Forces. Festivities are organized throughout the country. At the same time the Nazis and their collaborators are arrested.

50 DE BEVRIJDING VAN NEDERLAND

Eind april droppen de geallieerden voedselpakketten boven Nederland. Deze 'droppings' worden aangekondigd via de Engelse radio en zijn zeer welkom. Duizenden kunnen hierdoor de oorlog overleven. Enkelen weken later is de oorlog voorbij: de rest van Nederland is op 5 mei door de geallieerden bevrijd. Het hele land viert de bevrijding. Tegelijk maakt men een begin met het arresteren van NSB-ers en andere collaborateurs.

208

208 *English bombers loaded with parcels of food above Rotterdam. April 30, 1945.*
209 *Liberation festivities in Amsterdam's Red Light District.*

208 *Engelse bommenwerpers met voedselpakketten boven Rotterdam, 30 april 1945.*
209 *Bevrijdingsfeesten in Amsterdam, dansen in de Bloedstraat.*

209

51 *THE END OF THE WAR IN GERMANY*

51 *HET EINDE VAN DE OORLOG IN DUITSLAND*

On May 8, 1945, the German Army surrenders unconditionally. During the last months of the war German cities are so heavily bombed that little remains. Hitler and Goebbels commit suicide. Many Nazis are arrested.
The Soviet, American and other Allied troops work closely to defeat Nazi Germany.
Although the liberation comes too late for millions, many in prisons and concentration camps can be saved.
Germany is brought under joint Allied authority.

Op 8 mei 1945 geeft het Duitse leger zich onvoorwaardelijk over. In de laatste maanden daarvoor bombarderen de geallieerden veel Duitse steden zo zwaar dat er weinig meer van overblijft. Hitler en Goebbels plegen in Berlijn zelfmoord. Vele nazi's worden gearresteerd. Bij de verovering van Duitsland werken Russische, Amerikaanse, Engelse, Franse en andere geallieerde troepen nauw samen. Hoewel het voor miljoenen te laat is, kunnen zij toch nog velen uit gevangenissen en concentratiekampen bevrijden. Duitsland komt voorlopig onder gemeenschappelijk geallieerd gezag te staan.

210

210 *In the German countryside Americans say hello to the Russians.*
211 *Soviet and U.S. troops meet at the Elbe River in Germany.*
212 *Frankfurt.*
213 *Jewish survivors, liberated from Theresiënstadt, return to Frankfurt.*
214 *Some very young boys, members of the Hitler Youth, are among the arrested soldiers.*

210 *Ergens in Duitsland: de Amerikanen groeten de Russen.*
211 *Russische en Amerikaanse troepen ontmoeten elkaar bij de Elbe.*
212 *Het verwoeste Frankfurt.*
213 *Joodse overlevenden, bevrijd uit Theresiënstadt, terug in Frankfurt.*
214 *Onder de Duitse soldaten treffen de Geallieerden zeer jonge jongens uit de Hitler-jugend aan.*

212

211

213

214

52 LIBERATION OF THE CONCENTRATION CAMPS

The Allied advance into Germany influences the situation at the concentration camps. In January 1945 the Nazis clear the camps by forcing prisoners to walk hundreds of miles through snow and rain. Thousands die.
What the Allied Forces find when they finally arrive at the concentration camps is indescribable. For the survivors, a difficult journey home begins. For many of them the homecoming is a bitter disappointment. Most have lost friends and family. Houses are occupied. Property is stolen. Many survivors encounter disbelief and ignorance about their experiences in the camps.

52 BEVRIJDING VAN DE CONCENTRATIEKAMPEN EN REPATRIËRING

Bij de nadering van de geallieerde troepen worden de concentratiekampen ontruimd. De gevangenen moeten honderden kilometers lang door sneeuw en regen lopen. Duizenden sterven. Uiteindelijk worden de kampen bevrijd; wat de geallieerden aantreffen is gruwelijk. Voor de overlevenden begint daarna een barre toch naar huis.
De thuiskomst is voor velen een bittere teleurstelling: zij zijn familie en vrienden kwijt, hun bezittingen zijn geroofd, en ook ervaren ze onbegrip en onwetendheid over de situatie in de concentratiekampen.

216

217

215 *The liberation of Dachau.*
216 *After the liberation of Bergen-Belsen, the camp where Anne and Margot Frank died, the barracks are set afire to eliminate the spread of typhoid fever.*
217 *Temporary repatriation camps are set up in hotels and schools.*

215 *De bevrijding van Dachau.*
216 *Na de bevrijding van Bergen-Belsen – het kamp waarin Anne en Margot Frank omkwamen – worden de barakken vanwege het tyfusgevaar in brand gestoken.*
217 *Voor overlevenden worden in hotels, scholen etc. tijdelijke opvangcentra ingericht.*

53 A WORLD DIVIDED: THE POSTWAR YEARS

53 EEN VERDEELDE WERELD/DE JAREN NA DE OORLOG

132

The first photographs of the concentration camps cause a tremendous shock everywhere – how could a thing like this happen?
Twenty-two of the most important Nazi leaders are tried by the International Tribunal in Nuremberg in 1946. New legal principles are drafted there to prevent similar atrocities in the future. Another important document is the 'Universal Declaration of Human Rights,' adopted in 1948 by the United Nations, which was founded in 1945.
But the hope for international cooperation and justice doesn't last long. Soon after World War II, an ideological struggle occurs between the two former Allies, the United States and the Soviet Union: the Cold War. International politics have been dominated by the threat of an atomic war between the two superpowers ever since.

De eerste foto's van de concentratiekampen veroorzaken overal een grote schok – hoe kon zoiets in 's hemelsnaam gebeuren?
22 van de belangrijkste nazi-leiders staan terecht voor het Internationaal Tribunaal van Neurenberg in 1946. Daar worden rechtsnormen vastgelegd die een herhaling van de nazi-misdaden moeten voorkomen. Een belangrijk document is ook de 'Universele Verklaring van de Rechten van de Mens', in 1948 aangenomen door de in 1945 opgerichte Verenigde Naties. Maar de hoop op internationale samenwerking en gerechtigheid is maar van korte duur. Tussen de vroegere bondgenoten de Verenigde Staten en de Sowjet-Unie breekt al snel een ideologische strijd uit, de 'Koude Oorlog'. Sindsdien wordt de internationale politiek beheerst door de dreiging van een atoomoorlog tussen de beide grootmachten.

218

218 *During the International Tribunal. Nuremberg, 1946.*
219 Bergen-Belsen.

218 *Tijdens het Internationale Tribunaal in Neurenberg, 1946.*
219 Bergen-Belsen

219

54 THE PUBLICATION OF ANNE FRANK'S DIARY

Upon his return to Amsterdam, Otto Frank realizes he is the only survivor of his family. Soon thereafter, Miep Gies gives Anne's papers and writings to him. After the people in hiding had been taken away, the helpers return to the Annex and take as much as possible before the Annex is cleared. Miep has kept Anne's papers during that time. Friends persuade Otto Frank to publish Anne's diary. 'The Diary of Anne Frank' appears in 1947 under the title 'Het Achterhuis' ('The Annex'). To date, more than 50 different editions have appeared, and more than 18 million copies have been sold. In 1953 Otto Frank marries Elfriede Markovits, also a survivor of Auschwitz. They settle in Basel, Switzerland, where Otto Frank dies in August 1980, at the age of 91.

The house where Anne and the others lived in hiding is now a museum, operated by the Anne Frank Foundation, which was founded in 1957. Apart from the preservation of the Annex, the Foundation tries to stimulate the fight against anti-Semitism, racism and fascism with information and educational projects.

54 DE PUBLICATIE VAN HET DAGBOEK VAN ANNE FRANK

Bij terugkomst in Amsterdam wordt Otto Frank duidelijk dat hij de enige overlevende van zijn gezin is. Al snel daarna geeft Miep Gies hem Anne's papieren en schriften, die zij al die tijd bewaard heeft. Toen de onderduikers waren weggevoerd, zijn de helpers naar het Achterhuis gegaan en hebben nog zoveel mogelijk meegenomen. Kort daarop werd het Achterhuis leeggehaald. Op aanraden van vrienden besluit Otto Frank Anne's Dagboek uit te geven. Het wordt in 1947 gepubliceerd onder de titel 'Het Achterhuis'.

Inmiddels zijn van het boek meer dan 50 verschillende uitgaven verschenen en in totaal meer dan 18 miljoen exemplaren verkocht. Otto hertrouwt in 1953 met mevr. Elfriede Markovits, ook een overlevende van Auschwitz. Zij vestigen zich in Basel, waar Otto Frank in augustus 1980 op 91-jarige leeftijd overlijdt.

Het Anne Frank Huis is sinds 1957 een museum, beheerd door de Anne Frank Stichting. Naast het beheer van het museum probeert de Stichting door voorlichting en onderwijsprojecten een bijdrage te leveren aan de bestrijding van antisemitisme, racisme en fascisme.

220 *Otto Frank remarries in Amsterdam. His new wife is Elfriede Markovits. November 10, 1953.*

220 *Otto Frank hertrouwt op 10 november 1953 in Amsterdam met Elfriede Markovits.*

220

221

222

221 *Part of Anne's Diary*
222 *Cover of the first Dutch edition of Anne's Diary*

221 *Dagboek fragment.*
222 *Omslag van de eerste Nederlandse uitgave van het 'Dagboek'.*

55 NEO-NAZIS AND THE DENIAL OF THE HOLOCAUST

Following the end of World War II in 1945, Nazism and fascism did not disappear. In a number of countries small groups soon emerged and their ideas and appearance bore a great similarity to the old movement. Moreover, countless people who supported the Nazi regime were allowed to live in complete freedom and re-establish themselves in society. A small number of organizations openly admit their sympathy for fascism in its old form, and they deny its crimes. 'The Hoax of the 20th Century' is how Neo-Nazi groups label the mass murder of Jews by the Nazis. By denying the crimes of Nazi Germany, they try to rehabilitate National Socialism. Sometimes this takes the form of a so-called objective, historical discussion that does in no way remind us of uniformed Nazi groups and therefore is even more dangerous. To augment their following and to acquire a base of political support, these groups try to be accepted as honest, civil organizations.

55 NEO-NAZI'S EN DE ONTKENNING VAN DE HOLOCAUST

Het nazisme en het fascisme zijn na 1945 niet verdwenen. Al snel steken in een aantal landen kleine groeperingen de kop op, die in hun ideeën in presentatie veel lijken op de oude beweging. Ook konden tallozen, die in de nazi-tijd fout waren geweest vrij blijven rondlopen en zich opnieuw een positie in de maatschappij verwerven. Een klein aantal groepen bekent openlijk haar sympathie voor het oude fascisme, en ontkent de misdaden daarvan. 'Het bedrog van de eeuw' noemen neo-nazi-groepen de massamoorden op de joden door de nazi's. Zo proberen zij het nationaal-socialisme te rehabiliteren.
Soms gebeurt dat onder het mom van een zgn. waardevrije, wetenschappelijke historische discussie, die in niets doet denken aan geüniformeerde nazigroepen, en daarom des te gevaarlijker is. Om de aanhang te vergroten en een politieke machtsbasis te verwerven proberen deze groepen zich voor te doen als fatsoenlijke, burgerlijke organisaties.

**

223 *The defaced barrack of the former Flossenburg concentration camp, April 1983: 'Wiesenthal is a Jewish liar, down with the concentration camp lies.'*

224 *German Neo-Nazis with posters: "I, ass, still believe that Jews were 'gassed' in German concentration camps."*

223 *Barak van het voormalige concentratiekamp Flossenburg beklad, april 1983: 'Wiesenthal is een joodse leugenaar, weg met de concentratiekamp leugens.'*

224 *Duitse neo-nazi's met borden: "Ik, ezel, geloof nog steeds dat in duitse concentratiekampen joden 'vergast' werden".*

224

56 ANTI-SEMITISM AND ANTI-ZIONISM

Recently, violent anti-Semitic actions have spread fear among the Jewish community in Western Europe. For many it is an unbearable idea that 40 years after the end of World War II Jewish organizations are forced to use safety measures and ask for police support.
Apart from hard, violent anti-Semitism that reminds us of the hate against Jews during World War II, anti-Semitism sometimes takes the form of anti-Zionism. It is not always clear at what point anti-Zionism becomes anti-Semitism. Anti-Zionism rejects the state of Israel as a Jewish state, which is not the same as criticizing certain policies of the Israeli government. Often, however, one can surmise that criticism of the Israeli government is, in fact, based on the denial of the right of the state of Israel to exist as a Jewish state.
Compared to other states, isn't Israel judged by different standards, and if so, how has that come about? When the Israeli government takes action, not only the government is judged but all Jews everywhere are held responsible. In this way criticism of the state of Israel is used as justification for anti-Semitism.

56 ANTISEMITISME EN ANTI-ZIONISME

De laatste jaren hebben gewelddadige antisemitische acties tot angst binnen de joodse gemeenschap in West-Europa geleid. Het is een voor velen onverdraaglijke gedachte dat, 40 jaar na het einde van de Tweede Wereldoorlog, joodse instellingen gedwongen te maken hebben met veiligheidsmaatregelen en politiebewaking.
Naast het harde gewelddadige antisemitisme dat doet denken aan de jodenhaat uit de Tweede Wereldoorlog, komt antisemitsme voor in de vorm van anti-zionisme. Waar anti-zionisme overgaat in antisemitisme is niet altijd duidelijk aan te geven. Anti-zionisme verwerpt de staat Israël als joodse staat, hetgeen iets anders is dan kritiek op een bepaalde politiek van de Israëlische regering. Vaak echter kan het vermoeden bestaan dat kritiek op de Israëlische regering in feite gebaseerd is op het ontkennen van het bestaansrecht van de joodse staat Israël.
Wordt de staat Israël niet met andere maatstaven beoordeeld dan andere staten en zo ja, hoe komt dat?
Voor de daden van de Israëlische regering wordt niet alleen deze beoordeeld, maar worden vaak alle joden, ook buiten Israël, aansprakelijk gesteld. Hoezeer de meeste joden in de wereld zich ook met Israël verbonden voelen, het is verwerpelijk kritiek op de Israëlische regering te vertalen in een anti-joodse opstelling. Kritiek op de staat Israël wordt zo als rechtvaardiging voor anti-semitisme gebruikt.

225

225 *Antwerp, Belgium. 1982.*
226 *At least two men open fire in Goldenberg's, a Jewish-owned restaurant in Paris. Six are killed, 22 are wounded. After the incident the owner of the restaurant, Jo Goldenberg, is about to collapse. August 9, 1982.*

225 *Antwerpen, 1982.*
226 *Maandagmiddag 9 augustus 1982 schieten tenminste twee mannen hun machinepistolen leeg in het joodse restaurant Goldenberg in Parijs. 6 doden en 22 gewonden. De eigenaar van het restaurant, Jo Goldenberg, is na de aanslag de ineenstorting nabij.*

BUREAUX

57 RACISM TODAY

Apart from Neo-Nazi groups, Europe is again confronted with racism. This is illustrated by an increasing number of violent racist incidents. Now that prosperity has ceased to grow and even threatens to decline, tolerance is put under pressure. This phenomenon is evident in all countries with ethnic minorities. Racial prejudices that already existed, in combination with the social-economic crisis, provide fertile soil for racism. The foreigner – that is to say, the identifiable 'colored' foreigner – is blamed for all the country's problems. If they would just leave, all the misery would disappear immediately, you can hear people say. Racist propaganda circulates in all countries in Western Europe, and the number of parties using this propaganda is increasing rapidly.
It is very important to fight discrimination. Therefore, it is a positive development that in those countries where racist groups are looking for support, many people are also fighting prejudice and racism.

57 HEDENDAAGS RACISME

Behalve van neo-nazi-groepen is in Europa sprake van groeiend racisme. Dit blijkt uit een toename van gewelddadige racistische incidenten. Nu de welvaart overal afneemt en verder dreigt af te nemen, komt de verdraagzaamheid onder druk te staan. In alle landen met minderheidsgroepen treedt dit verschijnsel op. Al bestaande vooroordelen over mensen met een andere huidskleur of levenswijze vormen in combinatie met de sociaal-economische crisis een belangrijke voedingsbodem voor racisme. De buitenlander, bedoeld wordt de herkenbare, gekleurde vreemdeling, krijgt de schuld van alle problemen. Als zij maar weg zouden gaan, zou aan alle ellende vanzelf een einde komen, kan men horen verkondigen. Racistische propaganda wordt in alle Westeuropese landen verspreid. Het aantal partijen dat hiervan specifiek gebruikt maakt, neemt verontrustend toe.
Het is van het grootste belang dat discriminatie bestreden wordt. Een verheugende ontwikkeling is dat in die landen waar racistische groepen steun zoeken, juist ook zeer velen zich inzetten voor het bestrijden van vooroordelen en racisme.

227 *In France Le Pen's Front National achieved 11% of the vote in the 1984 election. His party mainly focuses on blaming foreign workers for the economic crisis.*
228 *International Day Against Racism. This woman is carrying photographs of victims of racist violence in France. March 21, 1984.*
229 *The hate campaign against foreigners conducted in the 'Deutsche National Zeitung,' Germany. 'Who will save us from the immigrants?' 'Is Germany to become a second Turkey?' 'Our people are in danger!'*
230 *'Immigrant workers, go home!' The Vlaamse Militanten Orde (Flemish Militant Order) demonstrating in Antwerp, Belgium. December 1982.*

227

228

229

230

227 *In Frankrijk behaalde het Front National van Le Pen (foto) in 1984 onverwacht grote verkiezingswinsten, met als belangrijkste actiepunt: buitenlandse werknemers worden verantwoordelijk gesteld voor de economische crisis.*
228 *21 maart 1984, Internationale Dag tegen het Racisme. Deze vrouw draagt foto's van slachoffers van racistisch geweld in Frankrijk.*
229 *De hetze tegen buitenlanders, gevoerd in de 'Deutsche National Zeitung'.*
230 *'Gastarbeiders naar huis!' De Vlaamse Militanten Orde demonstreert in Antwerpen, België*

LIST OF ILLUSTRATIONS

FOTO VERANTWOORDING

Anne Frank Fonds, Basel/Cosmopress: 1, 2, 3, 4, 13, 14, 15, 16, 17, 18, 19, 20, 21, 22, 101, 102, 103, 104, 105, 106, 107, 108, 109, 110, 111, 112, 113, 114, 115, 116, 117, 118, 174, 175, 176, 177, 178, 179, 180, 181, 182, 221, 222, 223, 225, 230.

Historisches Museum, Frankfurt: 5, 6, 7, 9, 10, 12, 34, 36, 38.

Stadtarchiv, Frankfurt: 8, 38, 53, 54, 64, 212.

Jüdisches Archiv, Frankfurt: 11, 90, 213.

Bundesarchiv, Koblenz: 23, 55, 56, 57, 70, 86, 121.

Rijksinstituut voor Oorlogsdocumentatie, Amsterdam: 24, 27, 28, 29, 30, 31, 32, 35, 37, 40, 50, 66, 67, 73, 74, 78, 84, 89, 94, 95, 122, 123, 124, 125, 126, 127, 128, 129, 131, 135, 138, 139, 140, 143, 144, 146, 147, 148, 152, 153, 154, 155, 156, 157, 160, 166, 168, 169, 170, 171, 172, 173, 183, 184, 185, 187, 188, 189, 190, 192, 195, 198, 200, 201, 202, 203, 204, 205, 206, 210, 211, 214, 217, 218, 219.

Droste Verlag, Düsseldorf: 25, 47, 48.

Staatliche Kunsthalle, Berlin: 26, 87

Landesbildstelle, Berlin: 27, 35, 88.

Ullstein Bilderdienst: 33, 93, 96.

Dokumentationsarchiv der deutschen Widerstand; Frankfurt: 39, 49, 51.

Fotoarchief Spaarnestad/VNU, Haarlem: 41, 42, 43, 76, 77, 75, 79, 83, 85, 119, 120, 158, 215, 68, 88, 216.

Kölnisches Stadt museum: 44.

Yad Vashem, Jerusalem: 45, 46.

Siedler Verlag, Berlin: 71, 82.

ABC – fotoarchief, Amsterdam: 72, 52, 224, 226, 227, 228.

Privébezit: 81, 186, 220.

Gerhard Zwickert, Oost-Berlijn: 91, 92.

Gemeentearchief Amsterdam: 97, 98, 99, 100, 133, 137, 159, 162, 191.

Gemeentearchief Den Haag: 130, 134, 149, 151, 193, 194.

Gemeentearchief Rotterdam: 132, 161, 208.

Cas Oorthuys: 136, 167, 196.

Amsterdams Historisch Museum: 141.

Charles Breijer: 145, 163, 199.

Sem Preser: 164, 165.

Ad Windig: 197, 209.

COLOPHON

This book was produced on the occasion of the exhibition, 'Anne Frank in the world, 1929–1945'.
Photo research and text: Joke Kniesmeyer, Dienke Hondius, Bauco van der Wal.
Research concerning Frankfurt provided by: Dr. Jürgen Steen, Historisches Museum, Frankfurt.
English language text provided by: Steven Arthur Cohen, Amsterdam.
Cover-design: Marius van Leeuwen, Amsterdam.
Graphic design and layout: Marius van Leeuwen and Nel Punt, Amsterdam.
Typeset and printed by: Veenman, Wageningen.

COLOFON

Dit boek werd gemaakt ter gelegenheid van de tentoonstelling 'De Wereld van Anne Frank, 1929–1945'
Foto-research, tekst en samenstelling: Joke Kniesmeyer, Dienke Hondius, Bauco van der Wal.
Research met betrekking tot Frankfurt: Dr. Jürgen Steen, Historisches Museum, Frankfurt.
Engelse tekst: Steven Arthur Cohen, Amsterdam.
Omslagontwerp: Marius van Leeuwen, Amsterdam.
Vormgeving binnenwerk: Marius van Leeuwen en Nel Punt, Amsterdam.
Zetwerk en druk: Veenman, Wageningen.